Hoje em Dia...

Níveis C1/C2

Hermínia Malcata

Direção:
Renato Borges de Sousa

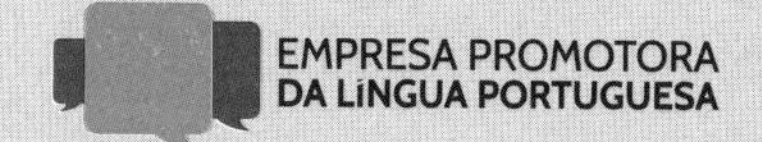

Lidel - edições técnicas, lda

A **Lidel** adquiriu este estatuto através da assinatura de um protocolo com o **Camões - Instituto da Cooperação e da Língua,** que visa destacar um conjunto de entidades que contribuem para a promoção internacional da língua portuguesa.

Edição e Distribuição
Lidel – Edições Técnicas, Lda.
Rua D. Estefânia, 183, r/c Dto – 1049-057 Lisboa
Tel: +351 213 511 448
lidel@lidel.pt
Projetos de edição: editoriais@lidel.pt
www.lidel.pt

Livraria
Av. Praia da Vitória, 14 A – 1000-247 Lisboa
Tel: +351 213 541 418
livraria@lidel.pt

ISBN edição impressa: 978-989-752-185-0
1.ª edição impressa: junho 2016
Reimpressão de junho 2022

Conceção de *layout*: magnetic
Paginação: magnetic
Impressão e acabamento: Cafilesa – Soluções Gráficas, Lda. – Venda do Pinheiro
Dep. Legal: n.º 411177/16

Capa: José Manuel Reis

Imagens: www.shutterstock.com

Todos os nossos livros passam por um rigoroso controlo de qualidade, no entanto aconselhamos a consulta periódica do nosso *site* (www.lidel.pt) para fazer o *download* de eventuais correções.

Não nos responsabilizamos por desatualizações das hiperligações presentes nesta obra, que foram verificadas à data de publicação da mesma.

Agradecimentos

Para a elaboração deste livro foi preciosa a ajuda de quem colaborou comigo.

Quero deixar os meus agradecimentos a:
Catarina Fonseca, *Activa*;
Joana Capucho, *Diário de Notícias*;
Patrícia Tadeia, *Metro*;
Filipe Fialho, *Visão*;
Maria Amélia Ajú, Vera Pinto Coelho, Orlando Couto, António Luís.

Um agradecimento especial ao Jorge pelo incentivo, paciência, ajuda e algumas fotografias.

Por fim, um último agradecimento a quem me confiou a elaboração de mais este livro: Dr. Renato Borges de Sousa.

A todos: Obrigada!

Apresentação

Hoje em Dia... é um livro constituído por textos que se debruçam sobre temas da vida quotidiana e atual no mundo lusófono e destina-se ao desenvolvimento do português como língua estrangeira, língua segunda e língua não materna para alunos já com conhecimentos da língua (níveis C1 – Autonomia/C2 – Mestria do QECR).

Através dos temas abordados, que vão desde o futebol no feminino, a arte urbana dos *graffiti*, a expressão cultural capoeira e as hortas urbanas, às cirurgias plásticas, os alunos (de grau avançado) são levados não só a rever as estruturas gramaticais, supostamente já adquiridas, mas também a trabalhar a área lexical.

O aprendente terá a oportunidade de desenvolver o uso da língua, quer a nível escrito quer a nível oral, e, simultaneamente, tomar conhecimento de diferentes vivências nos países onde é falada a língua portuguesa.

Este livro é composto por textos, glossário, exercícios de compreensão, de vocabulário e de gramática, temas para comentar e a respetiva chave dos exercícios.

Índice

Venha cultivar a sua horta

Não tem quintal? Não faz mal. Também pode criar a sua própria horta... urbana.

Se já lhe vai faltando tempo e paciência para estar nas filas do supermercado, este artigo é mesmo para si.

Imagine-se a ter uma horta na sua própria casa. Vá lá, não faça essa cara... É mesmo possível.

Alguns portugueses já apostaram na agricultura "caseira". Para A. Silva tudo começou há cinco anos. "O ***Life in a Bag*** surgiu quando iniciámos uma horta no jardim como um *hobby*. Ao longo do tempo fomos experimentando diferentes técnicas de cultivo, adquirindo o conhecimento e a experiência, e até uma estufa temos no jardim", começa por contar. Hoje em dia esta empresa visa inspirar e incentivar as pessoas a cultivarem os seus próprios alimentos em espaços reduzidos e com materiais reutilizáveis.

"Oferecemos produtos que permitem criar uma horta de ervas aromáticas e microvegetais biológicos dentro de casa, possibilitando, assim, uma alimentação mais saudável e amiga do ambiente. A prova disso é que ainda há pouco tempo a *Grow Box* de microvegetais *Life in a Bag* recebeu uma menção honrosa nos *Food and Nutrition Awards*", acrescentou A. Silva.

Na opinião desta nova agricultora, "isto das hortas em casa talvez seja uma moda", devido a cada vez mais serem utilizadas pelos grandes chefes de cozinha e em programas de culinária, "mas acaba por se tornar uma necessidade não só a nível financeiro, mas também porque é benéfico para a saúde", conclui.

Também A. Terroso se aventurou nas hortas com "uma pequena hortinha em casa a fim de fazer algumas experiências". O projeto evoluiu e A. Terroso começou a ver a agricultura de outra forma: dou mais valor ao trabalho das pessoas que fazem desta atividade a sua vida. Este projeto fez com que alterasse um pouco os meus hábitos alimentares e começasse a fazer refeições mais saudáveis. Ajudou-me a experimentar produtos que até então desconhecia e que são benéficos para a saúde", diz ainda.

Por isso, se está com vontade de poupar, ouça os conselhos de quem sabe: "Uma vez que temos estes produtos em casa, não precisamos de nos deslocar para os adquirir, o que torna a sua obtenção mais económica. Além disso, têm outro sabor, pois foram semeados e plantados por nós com todo o carinho e dedicação", conclui A. Terroso.

Posto isto, é só pegar na matéria-prima e... começar a cultivar.

▲ Texto adaptado, **Patrícia Tadeu** *in Metro*

Levar as *raízes* à cidade

O fenómeno das hortas urbanas é recente em Portugal, mas os agricultores citadinos estão a aumentar dia após dia.

A ocupação de tempos livres, o alívio do *stress* e a prática de agricultura de autossubsistência parecem ser os motivos mais plausíveis para este fenómeno.

As hortas urbanas, familiares ou comunitárias, são pequenas parcelas de terreno arrendadas a particulares para a cultura de legumes, flores e frutos em plena cidade.

Em Portugal, esta atividade começou a ser implementada e divulgada há pouco tempo, apesar de este fenómeno já ter surgido há mais tempo – durante a segunda metade do século XIX – em países do norte da Europa.

Dado existir uma necessidade crescente, por parte da população, em contactar com a natureza e dar utilidade a espaços verdes, foi criado o projeto ***Horta à Porta***, o qual promove a qualidade de vida da população, através de boas práticas agrícolas, ambientais e sociais.

A criação de hortas na cidade pretende, por um lado, garantir a autossubsistência através de produtos hortícolas e, por outro lado, promover a ecossustentabilidade.

As hortas de subsistência têm como objetivo ajudar na qualidade de vida das populações. Desde que estes projetos começaram, têm sido inauguradas pequenas hortas citadinas em várias cidades do país. Inclusive na capital!

As Câmaras Municipais disponibilizam talhões de, no mínimo, 25 metros quadrados, para atividades agrícolas. Uma das regras impostas é que seja assegurada a utilização exclusiva de produtos biológicos. Para tal, os interessados têm de preencher uma ficha de candidatura, e os critérios de seleção e distribuição obedecem a parâmetros de cariz social, nomeadamente se o proponente se encontra em situação de desemprego sem auferir o respetivo subsídio, se é beneficiário de prestações de apoio social e se estas representam a única fonte de rendimento ou, ainda, se é detentor do menor rendimento do agregado familiar.

Nem só de legumes vivem as hortas…

Se pensa que as hortas urbanas servem só para cultivar legumes, fruta ou ervas aromáticas, engana-se! Há também quem aproveite o espaço para construir uma capoeira, ou galinheiro, local onde se albergam galinhas, patos, perus, etc.

Estas aves domésticas são alimentadas com aquilo que se produz na horta, principalmente vegetais

folhosos. A couve-galega é um vegetal cultivado na maioria destes espaços urbanos e não só serve para a alimentação humana, como também para nutrir estas aves de capoeira. Os defensores destes espaços afirmam que sempre que se pense em criar animais domésticos para alimentação, se deve providenciar uma boa área de plantio desta couve, também conhecida por "hortas".

Aves criadas com uma boa alimentação fornecem ovos e carne de excelente qualidade. A nossa saúde agradece, pois **somos aquilo que comemos**…

GLOSSÁRIO

auferir: ganhar, receber; lucrar
estufa: recinto fechado em que se estabelece calor artificial
nutrir: alimentar; sustentar
parâmetro: padrão; modelo
plantar: cultivar
plausível: aceitável; razoável; admissível
semear: deitar sementes na terra
subsistência: estabilidade; conservação; sustento
visar: ter em vista; ter como finalidade ou objetivo

COMPREENSÃO

Explique o sentido das frases de acordo com o texto.

1. "Além disso, têm outro sabor, pois foram semeados e plantados por nós com todo o carinho e dedicação (...)"

____

____

____

2. "Levar as raízes à cidade."

____

____

____

3. "(...) promove a qualidade de vida da população, através de boas práticas agrícolas, ambientais e sociais."

____

____

____

4. "(...) somos aquilo que comemos."

____

____

____

5. "Nem só de legumes vivem as hortas..."

____

____

____

VOCABULÁRIO

1. Complete os textos com as palavras dadas.

profundas
terra
urbano
alimentos
direto
necessidade
prateleiras
vontade
retorno
evasão
sobrevivência

Hortas citadinas I

A ________ de o homem trabalhar a ________, para daí extrair ________ é uma questão de ________, mas a atração que o homem ________ sente pela atividade agrícola não se explica só pela ________ de aceder a outros sabores que não apenas os oferecidos pelas ________ dos supermercados.

Tem raízes mais ________, a que não é alheia uma vontade natural de ________ do ambiente urbano e de ________ a um misto de ócio e trabalho em contacto ________ com a natureza.

Hortas citadinas II

São inúmeros os ________ das práticas agrícolas em meio ________, com destaque para o ________ que poderão representar na ________ familiar e na qualidade da alimentação, além de permitirem a redução de matéria orgânica no ________ indiferenciado e de funcionarem como ________ lúdico, de recreio e terapêutico. A substituição de espaços vazios da ________ pública, muitas vezes deixados ao ________ e em degradação progressiva durante ________, pela geometria dos canteiros agrícolas e pela diversidade das suas culturas pode ser também, desde que ________ com alguma disciplina, um ________ importante para a qualidade da paisagem da cidade.

lixo
urbano
papel
abandono
via
benefícios
anos
contributo
recurso
economia
geridos

2. De acordo com os textos, escolha a palavra alternativa que mais se aproxima do significado da palavra/expressão destacada.

incentivar	aumentar	motivar	modificar	isentar
aromático	saboroso	saudável	odorífero	colorido
menção honrosa	prémio	medalha	diploma	certificado
parcela	unidade	fração	diminuição	soma
albergar	proteger	desalojar	desamparar	recolher
nutrir	encher	esvaziar	sustentar	completar
providenciar	determinar	santificar	prover	contar
paciência	doença	saúde	agilidade	tranquilidade

3. **Quanto à ortografia, as palavras podem ser: homófonas, homógrafas, homónimas e parónimas.**

	Grafia	Pronúncia	Significado	Exemplos
Homófonas	diferente	igual	diferente	conserto (*nome* – reparação) concerto (*nome* – obra musical)
Homógrafas	igual	diferente	diferente	sede (*nome* – vontade de beber líquido) sede (*nome* – lugar onde se encontra o poder)
Homónimas	igual	igual	diferente	são (*adjetivo* – saudável) são (*verbo*, 3.ª pessoa do plural do Presente do Indicativo do verbo *ser*)
Parónimas	semelhante	semelhante	diferente	área (*nome* – superfície) ária (*nome* – composição musical)

a) Complete o quadro posicionando os grupos de palavras na coluna adequada.

	Homófonas	Homógrafas	Homónimas	Parónimas
gelo / gelo **despensa / dispensa** **molho / molho** **cumprimento / comprimento** **manga / manga** **cinto / sinto** **perfeito / prefeito** **fecho / fecho** **cozer / coser** **nós / noz** **dúvida / duvida** **governo / governo** **canto / canto** **ouve / houve** **vício / vicio** **nada / nada** **crer / querer** **rio / rio** **tráfego / tráfico** **cela / sela**				

b) Construa uma frase para exemplificar o significado de cada palavra do exercício anterior.

Exemplo:

Vou pôr **gelo** no refresco.
No inverno, **gelo** quando saio à rua sem agasalho.

1. ______________________________

2. ______________________________

3. ______________________________

4. ______________________________

5. ______________________________

6. ______________________________

7. ______________________________

8. ______________________________

9. ______________________________

10. ______________________________

11. ______________________________

12. ______________________________

13. ______________________________

14. ______________________________

15. ______________________________

16. ______________________________

17. ______________________________

18. ______________________________

19. ______________________________

4. Forme provérbios juntando um elemento de cada coluna.

A	B
a) Cada um colhe	**1.** colhe tempestades.
b) Grão a grão	**2.** como o que fica à porta.
c) Quem semeia ventos	**3.** nasce a luz.
d) Tão ladrão é o que vai à horta	**4.** não acaba a primavera.
e) Não se pode ter sol na eira	**5.** aquilo que semeia.
f) Da discussão	**6.** nunca fizeram mal a ninguém.
g) Por morrer uma andorinha	**7.** e chuva no nabal.
h) Cuidados e caldos de galinha	**8.** enche a galinha o papo.

5. Explique o sentido dos provérbios do exercício anterior.

a) ____

____

b) ____

____

c) ____

____

d) ____

____

e) ____

____

f) ____

____

g) ____

____

h) ____

____

GRAMÁTICA

1. Transforme a frase dada, começando como indicado e não alterando o sentido. Pode completá-la sempre que considerar necessário.

a) Se lhe vai faltando tempo e paciência para estar nas filas do supermercado, este artigo é mesmo para si.

Caso ____

____.

b) A ocupação de tempos livres, o alívio do *stress* e a prática de agricultura de autossubsistência parecem ser os motivos mais plausíveis para este fenómeno.

O agricultor disse que ____

____.

c) Em Portugal, esta atividade começou a ser implementada e divulgada há pouco tempo.

Ainda que ____

____.

d) As hortas de subsistência têm como objetivo ajudar na qualidade de vida das populações.

Apesar de ____

____.

e) As Câmaras Municipais disponibilizaram talhões para atividades agrícolas.

Talhões para ____

____.

2. Substitua a parte destacada pelos pronomes pessoais de complemento direto.

a) Vamos plantar **a nossa horta** com produtos hortícolas da época.

____

b) Ao longo do tempo, experimentaram **técnicas de cultivo** com grande empenho e dedicação.

____

c) Ofereceremos **as mesmas oportunidades** a todos os que se quiserem juntar a nós.

____

d) Eles disseram que também ocupariam **os tempos livres** a ajudar os amigos e familiares nas hortas.

____

e) As Câmaras Municipais disponibilizam **talhões** para atividades agrícolas.

____

f) Para isso, os interessados têm de preencher **uma ficha de candidatura**.

____

g) Os defensores destes espaços nunca defenderiam **outro tipo de plantação**.

____

h) Comeremos sempre **os legumes da nossa quinta**.

____

3. Complete com: **portanto / por tanto, senão / se não, contudo / com tudo, decerto / de certo.**

a) Afinal, o que é isto ________ uma agricultura inteligente?

b) Levámo-los até lá já ________ preparado. Não foi preciso fazer mais nada.

c) Eles nasceram no Algarve, ________, são algarvios.

d) Eles não se importam de ficar a viver aqui, ________ precisam de ter um jardim para plantar algumas flores e ervas aromáticas.

e) Se você quiser, pode ficar neste talhão, ________ tempo quanto o necessário.

f) A quem, ________ aos agricultores, se deve o ambiente de muita alegria e esperança no futuro?

g) Deixei-lhe uma mensagem ________ explicado sucintamente.

h) Eles preenchiam todos os requisitos necessários, ________, foi-lhes cedido o direito de uso da propriedade.

i) ________ trabalho que tiveram, agora recebem os benefícios.

j) ________ que eles virão antes da hora marcada. São sempre muito pontuais.

k) ________ der para virem amanhã, adiamos para outro dia.

l) Ela irá, ________, optar por ficar aqui. É um lugar muito bonito para passar uns dias.

m) O que há ________ ou não, isso eu não sei.

n) ________ fosse estar desempregado, não teria começado nesta atividade.

o) Gostamos muito de viver na cidade, ________ falta-nos a tranquilidade do campo.

p) Falar ________ assunto, como, por exemplo, agricultura de autossubsistência é sempre muito complicado para elas.

PARA COMENTAR

- Acha que os ciberjogos, como o *FarmVille*, por exemplo, têm influenciado uma nova camada da população urbana no cultivo das suas hortas?
- Quando vamos ao mercado biológico, encontramos produtos cultivados em pequenas hortas, sem aditivos, mas mais caros do que os que compramos nos hipermercados. Qual é a melhor opção? Porquê?
- As hortas deviam estar só em lugares fora da cidade ou longe da poluição.

Futebol

Desporto de/para *homens* e *mulheres*

Num mundo em constante mudança há fenómenos que extravasam a sua essência e transpõem áreas que, em princípio, lhe estariam vedadas. O futebol, grande competição desportiva ainda nos dias de hoje, é um exemplo deste fenómeno. É um produto de globalização.

Praticamente em todo o mundo, milhões de pessoas compartilham o mesmo interesse: o futebol como desporto de massas ou desporto-rei, como alguns lhe chamam.

É, sem dúvida, uma indústria de entretenimento que age intensamente na cultura e na economia dos países. Move multidões qualquer que seja a nacionalidade, a faixa etária ou, até mesmo, o sexo: homens e mulheres são adeptos deste desporto. Jogam-no. Vibram nos estádios ou em frente ao ecrã. Utilizam um léxico próprio que, por vezes, só eles mesmo entendem.

Foi pedido a pessoas, de idades e profissões diferentes, que se pronunciassem sobre a nova realidade que é o futebol no feminino.

Futebol – Desporto exclusivamente masculino?

Penso que não. Sem dúvida, o jogo foi criado em Inglaterra por homens e para homens. Mas naquele tempo o acesso da mulher ao desporto era muito limitado. A mulher devia proteger a pele do sol porque os cânones de beleza exigiam que tivesse a pele muito branca. Mesmo quando praticava ténis ou equitação, e até quando começou a ir à praia, usava roupas que cobriam o corpo. E pensava-se que a mulher, como "sexo fraco", não aguentaria a dureza do jogo.

Hoje, a realidade é bem diferente. Há milhões de mulheres que jogam futebol e outros desportos igualmente duros. Cada vez mais clubes têm uma equipa feminina. E não há nada no jogo que a mulher não possa fazer: correr, passar a bola a outra jogadora com os pés ou com a cabeça, chutar, parar uma bola, ter pontaria, aplicar uma tática, jogar em equipa, sofrer algum encontrão, driblar, fazer *bluff*, fingir-se inocente depois de uma falta...

Só depende do gosto e da habilidade de cada uma. E já se sabe que quem corre por gosto... Eu gosto de ver um bom jogo, rápido, emocionante, sem interrupções constantes, com bons jogadores, com golos bonitos (principalmente da minha equipa). Mas nunca me senti inclinada a jogar. Felizmente não somos todas iguais, apesar de ainda soar algo excêntrico que uma mulher escolha essa profissão tradicionalmente masculina. Penso que o que faz mais falta ao jogo é "justiça desportiva". É preciso que se implementem meios técnicos (que os há) para evitar a corrupção dos juízes e dos dirigentes, o favorecimento vergonhoso. A meu ver, a injustiça dos jogos é o que mais desanima os adeptos e os afasta dos estádios. Com isso é que os homens e mulheres se deviam preocupar. ◀ **V. Pinto-Coelho**

Futebol no feminino

Uma bola, 22 jogadores. Duas equipas adversárias, mas não inimigas, metade de cada lado. Fora das quatro linhas, ficam os adeptos e adeptas das duas equipas. Muitas vezes agrupam-se em claques de apoio e frequentemente vestem-se a rigor com as camisolas, cachecóis, bonés e gorros do clube que apoiam. Um jogo é uma festa e quanto mais importante for essa partida, maior é o entusiasmo dos seus adeptos.

Nos primórdios deste desporto, ele era essencialmente praticado e apoiado por adeptos masculinos. Com o passar do tempo, o interesse por parte da população feminina tem aumentado, não só no que respeita à sua prática, como ao acompanhar o *derby* no estádio ou através da televisão.

Há entusiastas de futebol de ambos os sexos que seguem não só a vida do seu clube do coração, mas também a Seleção Nacional.

As opções técnicas do treinador são questionadas ou apoiadas consoante os resultados que a equipa vai obtendo, e ambos os sexos o fazem com o mesmo fervor.

Argumentos e contra-argumentos são digladiados, às vezes intensamente, entre os adeptos dos vários clubes. Homens e mulheres que seguem este desporto acabam sempre por opinar sobre o que o treinador devia ou não ter feito durante o jogo e sobre as jogadas polémicas no final do encontro. Essas pequenas picardias são geralmente discutidas antes, durante e depois dos jogos. São as grandes penalidades, os golos invalidados, os foras de jogo ou a justiça dos cartões distribuídos pelo árbitro aos jogadores.

A verdade é esta: quem gosta de futebol, seja homem ou mulher, sente entusiasmo com as vitórias da sua equipa e sofre mais ou menos intensamente com os resultados negativos. ◀ **J. Pronto**

O futebol também é um desporto para mulheres?

Eu penso que sim. E porque não? Já lá vai o tempo em que o desporto, pelo menos com carácter competitivo, era interdito às mulheres.

O desporto consistia em jogos entre amigos e conhecidos e não eram, de forma alguma, jogos para as grandes massas. Não arrastavam multidões.

Hoje é diferente, os tabus foram derrubados e o desporto começou a ser praticado indistintamente por homens e mulheres. Hoje em dia, há equipas de futebol feminino que o praticam de forma muito agradável.

Se me perguntarem se o boxe ou a luta livre também são desportos para mulheres, direi redondamente: não! São desportos que exacerbam uma brutalidade e agressividade que me parecem condenáveis. Até mesmo para homens! Mas o futebol é diferente, tem lances interessantes, emotivos, que exploram a velocidade e habilidade dos jogadores.

Por outro lado, também é emotivo pela expectativa do resultado final. Não sendo um jogo essencialmente agressivo – ainda que viril –, acho que as mulheres de hoje também assistem com muito fervor a *derbies* emocionantes. Conhecem as regras do jogo, mesmo quando são só espectadoras. Puxam pelos jogadores ou jogadoras. Fazem parte das claques: cantam e gritam entusiasticamente.

Eu cá gosto de bom futebol! Não jogo nem nunca joguei, mas sempre fui uma adepta do desporto-rei. Nunca faltei a um jogo do meu clube favorito; nem o meu marido e o meu filho. Todos os domingos lá íamos nós, de cachecol ao pescoço. Agora... ouço os relatos no rádio. ◀ **M. A. Ajú**

Futebol – Desporto de/para homens e mulheres

Desde sempre que o futebol foi associado a um desporto para homens, devido à sua virilidade. É frequente ouvir frases do tipo "futebol é para homens" ou "parece uma menina a jogar à bola". A verdade é que tudo isto se enquadra numa filosofia em que o homem é símbolo de virilidade, brutalidade, força. Elementos necessários para a prática de um desporto como o futebol.

O futebol foi criado por homens e para homens há mais de cem anos, numa sociedade em que a mulher tinha poucos direitos e era vista como mais sensível, menos viril e cuja principal função era a de casar e ter filhos. Poucas foram as mulheres que enveredaram pelo desporto. O desporto era para homens. Evidentemente que muita coisa mudou nos últimos cem anos e muitos direitos foram adquiridos pelas mulheres, desde o direito a votar até ao de ocupar posições outrora só de homens.

"Há milhões de mulheres
que jogam futebol e outros
desportos igualmente duros.
Cada vez mais clubes têm
uma equipa feminina.
E não há nada no jogo que
a mulher não possa fazer (...)"

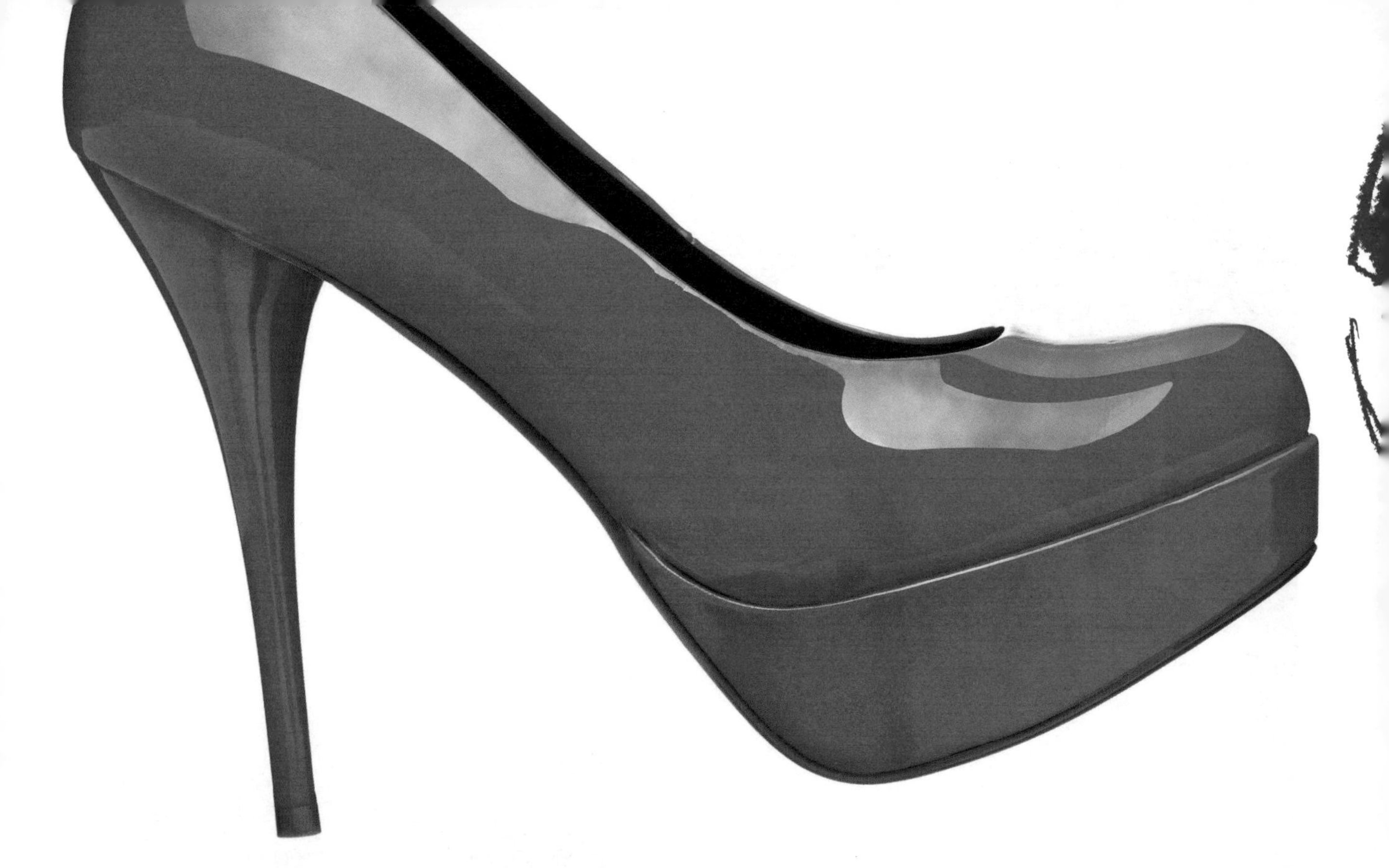

No caso português, por exemplo, só após a revolução de 1974 é que começaram a aparecer mulheres a conduzir autocarros e a assumir algumas profissões antes restritas aos homens pelo fator força e masculinidade.

No desporto foi igual. Hoje em dia vemos mulheres a jogar futebol e outros desportos como, por exemplo, o boxe, coisa impensável há uns anos. Já não é surpresa encontrarmos grandes jogadoras de futebol a usar a força para vencer, jogando tal como os homens.

O curioso é que o futebol feminino em muitos países como os EUA, a Noruega ou a Dinamarca já conseguiu triunfos a nível mundial e olímpico, nunca antes alcançado pelos homens destes países.

Em conclusão, atualmente qualquer desporto pode ser praticado por ambos os sexos, sem que haja discriminação, havendo até algum respeito por essas mulheres que têm sucesso quer no futebol quer noutros desportos.

O caminho para a igualdade de oportunidades está criado e será cada vez mais uma certeza. ◀ **O. Couto**

Futebol – Desporto para homens e mulheres?

O futebol é um daqueles temas sociais globais que abarca todas as estruturas sociais – da política à economia –, étnicas, etárias e de género.

A ideia de virilidade, de disciplina militarista, remete o futebol para o universo masculino, quase guerreiro, um desporto de homens. Tal não significa que as mulheres não o pratiquem, mas são sobejamente conhecidos os discursos, mesmo na imprensa especializada, a roçar a fronteira do sexismo; e, mesmo fora da imprensa especializada, todos conhecemos os piropos que se produzem sobre o tema, o corpo do sexo fraco que se julga não apropriado àquelas lides, e um traje desportivo contrário a uma feminilidade recatada. Ou seja, as mulheres que invadem os terrenos desportivos considerados masculinos estão sempre sujeitas a discursos mordazes, e no futebol isso não é exceção.

A atestar este afastamento da mulher do futebol, como prática desportiva, está o facto de o primeiro jogo oficial e regulamentado de uma equipa feminina ter tido lugar em França, em 1984, isto, tendo em conta que se trata de um desporto com origem em meados do século IV, em Inglaterra, e cujas regras básicas foram definidas em 1863. Claro que hoje existe futebol feminino organizado, mas a desvalorização do mesmo parece ser uma evidência, quando se constata que muitos depreciam o Mundialito de Futebol Feminino, disputado anualmente no Algarve, desde 1994, para não falar naqueles que o desconhecem em absoluto.

Atendendo às estatísticas de análise sociológica que têm sido elaboradas, confirma-se que *a priori* o senso comum considera que o futebol é, na sociedade portuguesa, um desporto de homens, com participação residual das mulheres. ◀ **A. Luís**

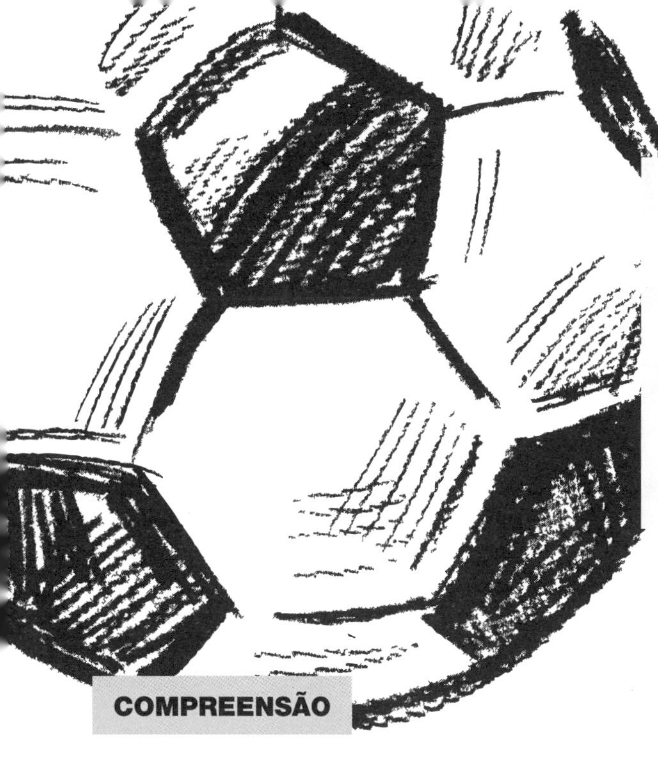

GLOSSÁRIO

abarcar: integrar; abranger; conter
cânone: modelo; regra; padrão
digladiar: confrontar
enquadrar: ajustar; combinar
entretenimento: divertimento
enveredar (por): seguir determinado rumo ou destino
exacerbar: agravar; tornar intenso
extravasar: transbordar; ir para além de; exteriorizar emoção
fervor: entusiasmo
implementar: realizar; executar; levar a cabo
opinar: manifestar opinião
outrora: antigamente
picardia: provocação
piropo: galanteio; palavra ou frase lisonjeira dirigida a alguém
primórdios: princípio; início de
relato: descrição; narração; reportagem
residual: aquilo que resta de

COMPREENSÃO

Explique o sentido das frases de acordo com o texto.

1. O futebol "é um produto de globalização".

___

___

___

2. O futebol é um "desporto de massas".

___

___

___

3. "(...) nunca me senti inclinada a jogar."

___

___

___

4. "Fora das quatro linhas, ficam os adeptos e adeptas das duas equipas."

___

___

___

5. "As opções técnicas do treinador são questionadas (...)."

___

___

___

6. "(...) são sobejamente conhecidos os discursos (...) a roçar a fronteira do sexismo (...)."

___

___

___

VOCABULÁRIO

1. Encontre na coluna B o significado para as expressões futebolísticas da coluna A.

A

a) Adversário

b) Jogo amigável

c) Árbitro

d) Balneário

e) Braçadeira

f) Cabazada

g) Reviravolta

h) Falhanço

i) Fora de jogo

j) Livre

B

1. Local onde os jogadores vestem o equipamento de jogo e/ou tomam banho

2. Infração cometida pelo jogador que, no momento em que lhe é passada a bola, tem apenas um ou nenhum jogador da equipa adversária entre ele e a baliza

3. Jogo no qual o resultado não vale pontos para a competição ou campeonato

4. Vitória por muitos golos de diferença

5. Não concretização de uma oportunidade flagrante de golo

6. Falta

7. Uma equipa ou um atleta oponente

8. Ganhar um jogo depois de ter estado a perder

9. Pessoa credenciada pelas entidades oficiais para fiscalizar um jogo de futebol

10. Faixa de tecido colocada à volta do braço do jogador, identificando que é o capitão da equipa

2. Expressões idiomáticas com partes do corpo.

Exemplo: A Maria fez o exercício com uma **perna** às costas.
mão **perna** **cotovelo**

a) Sem querer, fugiu-lhe a _________ para a verdade.
língua **garganta** **boca**

b) A Raquel não consegue ter _________ no filho.
mão **costas** **perna**

c) Quando os voltei a ver, ao fim de muitos anos, emocionei-me e fiquei com um nó na _________.
garganta **boca** **orelha**

d) Ficámos de _________ atrás com as coisas que eles nos contaram.
cotovelo **joelho** **pé**

e) É preciso que se tomem decisões de _________ fria.
cabeça **testa** **mão**

f) Ela não sabe dançar. É mesmo um _________ de chumbo.
osso **pé** **coração**

g) Ele nunca compreende nada do que se lhe diz. É mesmo um _________ dura.
coração **testa** **cabeça**

h) O Luís irrita-me, está sempre a mandar _________.
cabelos **bocas** **mãos**

3. Forme provérbios juntando um elemento de cada coluna.

A	B
a) Quando a esmola é grande,	**1.** queima-se.
b) Mais vale ir	**2.** nunca pior.
c) Quem brinca com o fogo	**3.** não merece castigo.
d) A culpa	**4.** que feche a loja.
e) Quando mal,	**5.** o santo desconfia.
f) Quem confessa a verdade	**6.** morreu solteira.
g) Quem não sabe ser caixeiro	**7.** desespera.
h) Quem espera	**8.** do que mandar.

4. No primeiro texto faz-se alusão a um provérbio: "E já se sabe que quem corre por gosto…". O provérbio completo é: "Quem corre por gosto não cansa." Significa: quando queremos atingir os nossos objetivos, não descansamos até o conseguirmos.

Explique o sentido dos provérbios do exercício anterior.

a) ____

b) ____

c) ____

d) ____

e) ____

f) ____

g) ____

h) ____

5. Escreva antónimos para as seguintes palavras.

a) organizado ____________

b) interdito ____________

c) agressividade ____________

d) fervor ____________

e) apoio ____________

f) adquirido ____________

g) dúvida ____________

h) próprio ____________

GRAMÁTICA

1. "Num mundo em constante mudança há fenómenos que extravasam a sua essência e *transpõem* áreas que, em princípio, lhe estariam vedadas."
Além de "transpor", há outros verbos derivados de "pôr": **compor / dispor / interpor / opor / pressupor / propor / repor / supor.**
Escolha o verbo mais apropriado e conjugue-o corretamente.

a) Os adeptos ________ que o jogo começasse às 16 horas, mas, afinal, começou uma hora mais tarde.

b) Era necessário que os jogadores ________ no campo de acordo com as suas posições.

c) O presidente do clube pediu aos adeptos para ________ um hino para o Campeonato.

d) Dadas as circunstâncias, a Direção ________ que o jogo tivesse lugar noutro campo.

e) É necessário que se ________ a verdade dos factos.

f) Houve quem se ________ à realização do jogo entre aquelas duas equipas.

g) Caso a Direção ________ restrições à entrada de adeptos no campo, isso levará a uma situação penosa para todos nós.

h) O comportamento dele ________ não só conhecimento do facto, como também uma boa educação.

2. Transforme a frase dada, começando como indicado e não alterando o sentido. Pode completá-la sempre que considerar necessário.

a) Acho que as mulheres de hoje também assistem com muito fervor a *derbies* emocionantes.

Não acho que ____.

b) A ideia de virilidade, de disciplina militarista, remete o futebol para o universo masculino.

Embora ____

____.

c) Atendendo às estatísticas de análise sociológica que têm sido elaboradas, confirma-se que *a priori* o senso comum considera que o futebol é, na sociedade portuguesa, um desporto de homens, com participação residual das mulheres.

O jornalista disse que ____

____

____.

d) Num mundo em constante mudança há fenómenos que extravasam a sua essência e transpõem áreas que lhe estão vedadas.

Oxalá ____

____.

e) O futebol move multidões qualquer que seja a nacionalidade, a faixa etária ou o sexo.

Para que ____ é necessário que

____.

3. "O futebol foi criado por homens e para homens há mais de cem anos (...)"

Complete as frases com a preposição mais adequada: por / para. Faça contração com o artigo quando necessário.

a) ________ a inauguração do pavilhão desportivo, vai haver música popular e bifanas grelhadas.

b) Se no próximo mês vocês forem de férias ________ o Norte, não se esqueçam de visitar Braga.

c) Nós fomos ________ a serra até chegarmos ao miradouro. A partir dali, dirigimo-nos ________ o santuário.

d) Caso eu saiba ________ onde é que eles andam, mando-te uma SMS.

e) Enquanto eles veem todos os programas na televisão, eu só vejo os debates duas vezes ________ semana.

f) Vamos deixar esta discussão ________ a nossa próxima reunião.

g) Telefonaram-me a dizer que estão num engarrafamento e não sabem a que horas vão chegar, ________ isso decidi trocá-los ________ substitutos.

h) Precisamos de tempo ________ treinar ________ o jogo do próximo fim de semana.

PARA COMENTAR

- Futebol, um desporto tradicionalmente masculino.
- As futebolistas têm mais civismo dentro do campo do que os futebolistas.
- Futebol, um desporto que mexe com a economia do país.

Ascensores de *Lisboa*

Lisboa é conhecida como a cidade das sete colinas – à semelhança de Roma – e foi Frei Nicolau de Oliveira, no século XVII, quem se referiu a elas pela primeira vez no *Livro das Grandezas de Lisboa*. Porém, com o crescimento urbano da cidade ao longo dos anos, o número de colinas aumentou.

Para facilitar a vida da população local a vencer os declives naturais da cidade, foi criado, nos finais do século XIX, um programa de obras públicas que trouxe à cidade os emblemáticos ascensores: do Lavra, da Glória e da Bica.

Além destes três, sob a forma do tradicional elétrico, existe um outro de construção diferente, mas não menos interessante: o elevador de Santa Justa.

O **ascensor do Lavra**, construído por Raoul Mesnier du Ponsard, engenheiro francês, foi inaugurado a 19 de abril de 1884. É o elevador público mais antigo de Lisboa que ainda está em funcionamento. Liga o Largo da Anunciada à Rua Câmara Pestana, por uma calçada íngreme com 188 metros. Tem capacidade para transportar cerca de 42 pessoas e é movido, desde 1915, a eletricidade.

Ao subirmos neste ascensor, deparamo-nos com uma magnífica vista sobre a cidade a partir do Jardim do Torel.

Na colina oposta, o **ascensor da Glória** transporta os passageiros desde a Praça dos Restauradores até ao Jardim de São Pedro de Alcântara, numa subida íngreme de 265 metros. Este é um dos ascensores mais utilizados quer por moradores locais, quer por visitantes, pois no término superior encontra-se o ponto de ligação entre três bairros com carácter bem diferente: Chiado, Bairro Alto e Príncipe Real.

Este ascensor também foi construído por Ponsard, e foi inaugurado a 24 de outubro de 1885. As características são semelhantes às do ascensor do Lavra: dois bancos corridos, colocados de costas para as janelas.

Nas proximidades do rio Tejo, e com atributos cénicos da zona onde se localiza, encontramos o **ascensor da Bica**. Faz um trajeto menos íngreme do que os anteriores: só 70 metros. Também diferente é o local onde começa a viagem: a partir de um prédio setecentista na Rua de S. Paulo. Esta subida proporciona uma vista ímpar sobre o rio, ao mesmo tempo que atravessa um bairro popular e tipicamente alfacinha.

O ascensor da Bica também foi construído por Raoul Mesnier du Ponsard e inaugurado oito anos depois do primeiro. É igualmente composto por duas carruagens, cada uma com três compartimentos desnivelados e de acesso independente, com capacidade para transportar 23 passageiros (nove sentados).

Os três ascensores, que são semelhantes ao tradicional elétrico da cidade, foram reconhecidos como Monumentos Nacionais em 2002.

Diferente destes três ascensores, mas não menos interessante, é o **elevador de Santa Justa**. Ascensor de estrutura vertical e constituído por duas torres metálicas interligadas entre si obedecendo ao estilo neogótico, foi construído entre os finais do século XIX e o início do século XX. Há quem diga que esta construção se deveu a Gustave Eiffel, contudo parece que foi o já referido engenheiro Ponsard quem se responsabilizou por esta construção em conjunto com o arquiteto francês Louis Reynaud. Utilizaram técnicas e materiais já utilizados em França. O interior do ascensor é revestido a madeira, espelhos e tem capacidade para 24 passageiros.

Este ascensor sobe até uma altura de 45 metros, e faz a ligação desde a baixa da cidade até ao Largo do Carmo.

▼ Ascensor da Glória

▼ Elevador de Santa Justa

▼ Ascensor do Lavra

▼ Ascensor da Bica

Vilas & páteos

Vila Berta ▶

Vila Berta ▼

Vila Sousa ▲

◀ Vila Sousa

A partir de meados do século XIX a cidade de Lisboa começou a ter uma maior concentração de mão de obra operária como resultado do processo de industrialização. A população da cidade aumentou: vieram pessoas do interior do país à procura de trabalho. A composição social da cidade modificou-se.

Naquela época assistiu-se ao desenvolvimento da burguesia e à diversificação em estratos sociais ao mesmo tempo que uma classe operária começou a emergir. Para sanar as necessidades de alojamento dos menos favorecidos economicamente, foram criadas vilas operárias.

Estas vilas refletiam a imagem da industrialização, ocupando pequenas áreas e rentabilizando ao máximo o espaço. Ainda hoje se pode observar o desenho cuidado das fachadas com elegantes varandas de ferro. Algumas até parecem condomínios fechados onde não falta a mercearia, o talho, o café…

Lisboa chegou a ter cerca de 350 páteos e vilas, mas muitos deles já desapareceram, enquanto outros foram reabilitados, mantendo as características originais. Existem atualmente planos de revitalização habitacional destes locais, de modo a trazer diferentes faixas etárias, sociais ou étnicas.

Nestes locais cruzam-se reformados com jovens casais, estudantes-trabalhadores, *designers*, jornalistas, pintores, etc.

Constança, uma portuguesa nascida na Alemanha, é uma das mais recentes moradoras nesta vila. Com 25 anos, Constança está a fazer um doutoramento em Ciências da Comunicação na Universidade Nova de Lisboa e dá aulas de Português a estrangeiros.

Foi através de amigos que encontrou a casa onde vive com o namorado, Raul que é professor de música numa Academia em Lisboa.

GLOSSÁRIO

declive: ladeira; encosta
deparar-se (com): encontrar-se face a
desfrutar: aproveitar; usufruir
emblemático: representativo; de carácter simbólico
estrato: camada
ímpar: único; que não tem igual
íngreme: demasiado inclinado
reabilitar: recuperar
sanar: resolver; tratar

Paga 500 € de renda, a meias com o namorado, e desfrutam de uma vida calma e integrada com outros moradores.

"Quando nos mudámos para esta casa, não conhecíamos nenhum vizinho. Mas foi sol de pouca dura, porque logo no primeiro fim de semana o casal que vive no andar de baixo convidou-nos para tomarmos café e provarmos uns bolinhos que tinham trazido da terra...", confidenciou Constança. "Depois fomos convivendo ora com uns ora com outros. Muitos são casais mais ou menos da nossa idade."

Georgina Silva, 72 anos, moradora numa vila em Lisboa, queixa-se de que quase toda a vizinhança "já partiu" e, agora, os que ali vivem saem de manhã cedo para o trabalho e só voltam à noite "quando já estou a ver a telenovela", diz. "Não conheço a maior parte deles, mas há gente de vários sítios. Na casa ao meu lado vivem uns brasileiros muito alegres, ali... em frente... sei que vivem uns indianos que têm dois filhos que já falam bem português, andam na escola, está visto! Aqui há de tudo. E vive-se bem. A minha renda é que é muito alta para mim que sou viúva e reformada", acrescentou esta simpática moradora.

Há muitas vilas espalhadas pela cidade, das Amoreiras até Sapadores, passando pela Rua Pascoal de Melo, Campo Pequeno, Graça e Campolide – podem encontrar-se vilas habitadas por uma população diferente daquela que originou estes espaços há dois séculos.

COMPREENSÃO

Explique o sentido das frases de acordo com o texto.

1. "Nas proximidades do rio Tejo, e com atributos cénicos da zona onde se localiza (...)"

____
____
____
____

2. "(...) assistiu-se ao desenvolvimento da burguesia e à diversificação em estratos sociais (...)"

____
____
____
____

3. "Paga (...) renda, a meias com o namorado, e desfrutam de uma vida calma (...)"

____
____
____
____

4. "Mas foi sol de pouca dura (...)"

____
____
____
____

5. "(...) quase toda a vizinhança já partiu (...)"

____
____
____
____

VOCABULÁRIO

1. Complete o texto com as palavras dadas.

ruído	distâncias	papel	português
cidade	esforço	vida	nova
ascensor	desenvolvimento	habitante	transporte

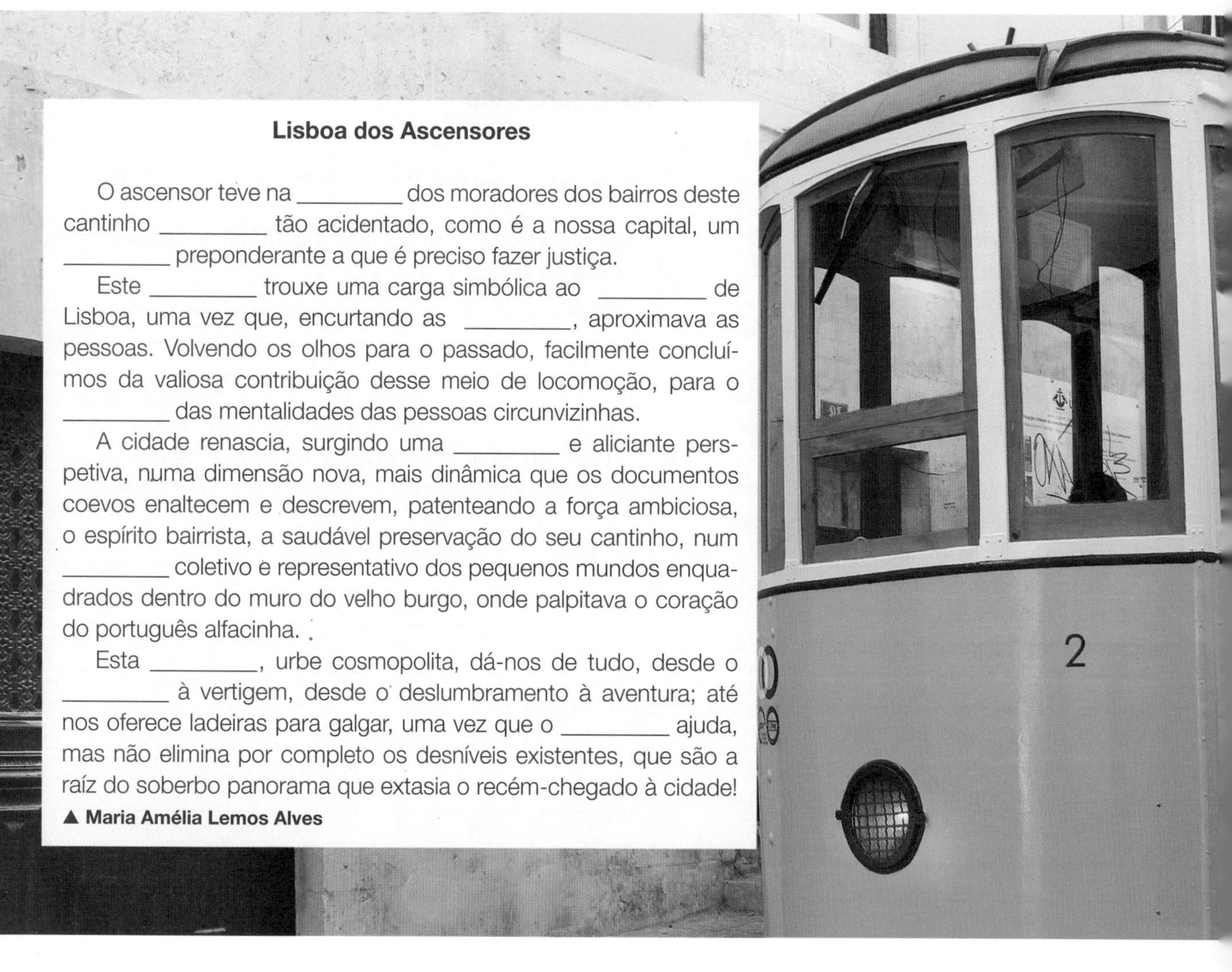

Lisboa dos Ascensores

O ascensor teve na ________ dos moradores dos bairros deste cantinho ________ tão acidentado, como é a nossa capital, um ________ preponderante a que é preciso fazer justiça.

Este ________ trouxe uma carga simbólica ao ________ de Lisboa, uma vez que, encurtando as ________, aproximava as pessoas. Volvendo os olhos para o passado, facilmente concluímos da valiosa contribuição desse meio de locomoção, para o ________ das mentalidades das pessoas circunvizinhas.

A cidade renascia, surgindo uma ________ e aliciante perspetiva, numa dimensão nova, mais dinâmica que os documentos coevos enaltecem e descrevem, patenteando a força ambiciosa, o espírito bairrista, a saudável preservação do seu cantinho, num ________ coletivo e representativo dos pequenos mundos enquadrados dentro do muro do velho burgo, onde palpitava o coração do português alfacinha.

Esta ________, urbe cosmopolita, dá-nos de tudo, desde o ________ à vertigem, desde o deslumbramento à aventura; até nos oferece ladeiras para galgar, uma vez que o ________ ajuda, mas não elimina por completo os desníveis existentes, que são a raíz do soberbo panorama que extasia o recém-chegado à cidade!

▲ **Maria Amélia Lemos Alves**

2. De acordo com os textos, escolha a palavra alternativa que mais se aproxima do significado da palavra/expressão destacada.

burgo	burguesia	aldeia	abastado	castelo
coevo	contemporâneo	antigo	medieval	perdido
galgar	correr	escorregar	cair	escalar
locomoção	transporte	movimento	comboio	promoção
urbe	condomínio	urze	cidade	vila
volver	regressar	virar	repetir	rever

3. Complete o quadro.

Nome	Verbo	Adjetivo
	referir	
		crescido
		fácil
	inaugurar	
o transporte		
a concentração		
	compor	
a habitação		
		calmo
		alegre

4. No texto aparece a expressão "mão de obra". Há outras **expressões idiomáticas** com a palavra "mão".
Substitua o que se encontra destacado nas frases por uma das expressões seguintes.

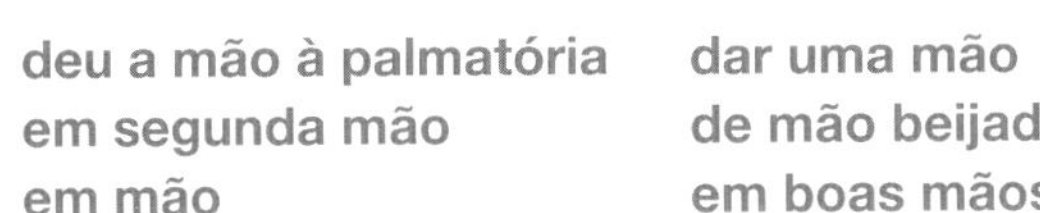

deu a mão à palmatória	**dar uma mão**	**ponho as mãos no fogo**
em segunda mão	**de mão beijada**	**abrir mão de**
em mão	**em boas mãos**	

a) Eles não podem reclamar. Tudo lhes tem sido dado **com a maior das facilidades**.

___

b) Quem é que está disposto **a recusar** uma oferta tão tentadora?

___

c) A mãe da Patrícia está **a ser bem cuidada**. O médico que a trata é muito competente.

___

d) Eu **confio plenamente no** João. Ele é uma pessoa íntegra.

___

e) O diretor entregou o relatório **pessoalmente**.

___

f) Só ao fim de muito tempo é que ela **admitiu o erro**.

___

g) O Frederico comprou um carro já **usado**.

___

h) Estava tão cheia de trabalho que a minha colega teve de **me ajudar**.

___

5. Explique o sentido das expressões idiomáticas destacadas.

a) A D. Georgina **abriu o coração** connosco.

____

____

b) Ela anda feita **barata tonta** sem saber o que fazer.

____

____

c) O referido casal decidiu **riscar do mapa** os antigos vizinhos por serem arrogantes.

____

____

d) O marido de Georgina Silva **foi desta para melhor**.

____

____

e) Foi preciso **muitos anos a virar frangos** para construírem aqueles ascensores.

____

____

f) Quando o primeiro ascensor foi inaugurado, houve muito **rebeubéu, pardais ao ninho**.

____

____

GRAMÁTICA

1. Transforme a frase dada, começando como indicado e não alterando o sentido. Pode completá-la sempre que considerar necessário.

a) Quando nos mudámos para esta casa, não conhecíamos nenhum vizinho. Logo no primeiro fim de semana, o casal que vive no andar de baixo convidou-nos para tomarmos café e provarmos uns bolinhos que tinham trazido da terra.

Constança disse que ____

____.

b) Há três anos que moramos nesta vila e estamos muito felizes pelo ambiente calmo que aqui se vive. Estamos longe do rebuliço da cidade.

A moradora acrescentou que ____

____.

c) Quase toda a vizinhança do meu tempo já partiu. Isso é triste, mas tenho de saber levar a vida em frente. Como vivo sozinha, entretenho-me a ver televisão, a fazer palavras cruzadas e também saio para fazer as minhas compras.

D. Georgina lamentou que ______________________________, acrescentando que ______________________

____.

d) Não conheço a maior parte dos novos vizinhos, mas há gente de vários sítios. Na casa ao meu lado vivem uns brasileiros muito alegres e simpáticos. Cumprimentam-me sempre quando saem para o trabalho e perguntam-me se preciso de alguma coisa.

A septuagenária ainda disse que ____

____

____.

e) Também gosto de dar os meus passeios pela cidade. Às vezes, apanho o elétrico até à Baixa e depois dou a minha voltinha. Gosto de apanhar o ascensor do Lavra e caminhar até ao Campo de Santana. Tenho uma amiga que vive ali perto.

D. Georgina desabafou que ____

____

____.

2. Complete o quadro.

Dantes...	Ao...	Embora...	Se...	Quando...	Lamentei que...	Espero que...
		haja				tenha havido
	subirmos			subirmos		
ia				for		
			virem		tivessem visto	
	virem	venham				
tínhamos			tivermos			
					tivesse posto	tenha posto

3. Complete o texto com a preposição mais adequada. Faça contração com o artigo quando necessário.

de **em** **a** **por** **para** **sobre**

Do cimo do elevador de Santa Justa descobre-se toda a Baixa lisboeta e o Castelo de São Jorge. Situado ________ pleno coração pombalino ________ cidade de Lisboa, o elevador de Santa Justa é um verdadeiro ex-líbris ________ capital portuguesa, tornando-se visita obrigatória ________ qualquer turista, nacional ou estrangeiro.

Além de ser uma atração turística – e fotográfica – é essencialmente um transporte público, ________ era da arquitetura ________ ferro. Este vistoso e fotogénico elevador tem uma estrutura ________ ferro, construída ________ um viaduto metálico de 25 metros, apoiado ________ meio num pilar de betão armado e, num dos extremos, ________ torre metálica ________ 45 metros ________ altura. Daí ser fácil perceber a emoção que se sente ________ os escassos minutos ________ lenta viagem, rumo ________ céus. Mas quando se sai, quando as portas se abrem e o vento fresco acaricia a cara, é um mar de beleza que temos ________ nossa frente.

PARA COMENTAR

- Se já conhece algum dos ícones da cidade, qual é que mais apreciou e porquê?
- Na sua cidade também existe um ícone. Fale/escreva sobre ele: faça uma descrição o mais fiel possível.
- O uso de transportes públicos, em vez de privados, numa grande cidade. Quais as vantagens e desvantagens de ambas as opções?

Arte **urbana**

Arte para todos os que passam

Por todo o país encontramos espaços públicos com as paredes pintadas de modo menos ortodoxo.

São verdadeiras galerias de arte cujo teto é o céu.

O conceito de **arte urbana** surgiu para designar os movimentos artísticos relacionados com as intervenções visuais das grandes cidades.

Deparamo-nos com este novo conceito que, no início, era considerado um movimento *underground*. Com o passar do tempo foi ganhando forma e estruturou-se com grafismos ricos em detalhes, que vão do *graffiti* ao *stencil*, passando por cartazes chamados *poster-bombs*.

Este tipo de arte serve para que os autores possam expressar a sua opinião sobre o que os rodeia. É também através desta expressão artística que divulgam mensagens sobre o que sentem, muitas vezes como se fossem poemas, mas na forma de desenho.

Graffiti ou **grafíti** é o nome dado às inscrições feitas nas paredes desde o Império Romano. Pode ser uma inscrição em forma de caligrafia, um desenho pintado ou gravado sobre uma superfície que normalmente não é a prevista, num espaço público.

Pelas cidades já se fazem visitas guiadas para ver, apreciar e tomar contacto com novos nomes da arte.

Sainer é um desses nomes. Este artista polaco notabilizou-se internacionalmente com os seus gigantescos e estranhamente familiares murais. Na lateral de um prédio numa praça de Lisboa, pintou a **Senhora das Olaias**: uma senhora idosa, com um saquinho, a caminhar distraída e a fumar um cigarro através de uma boquilha. Aos pés, um pato e um cão aos quais ela se mostra alheada. No dedo, um anel com um boneco de neve (assinatura de *Sainer*). Uma senhora, ao passar por aquela parede, vai virando a cabeça para trás, na direção do mural, em movimentos ascendentes e descendentes. Olha-nos e diz: "O que quer que lhe diga? É uma pintura bonita. Passo por aqui todos os fins de semana e nunca me canso de a admirar. Há gente com muito talento. Não há dúvida!"

O artista foi elevado por uma grua para fazer esta pintura. Fê-la sem qualquer projeção prévia, em que o desenho da mão tem proporções duas vezes maiores do que o tamanho de *Sainer*.

▼ Senhora das Olaias

Alexandre Farto, mais conhecido como **Vhils**, pintor e grafiteiro lisboeta que cresceu na margem sul do Tejo. Conhecido pelos seus "Rostos" esculpidos em paredes não só em Portugal, mas também além-fronteiras.

Digamos que Vhils destrói para criar. Dá lugar a rostos (alguns anónimos, outros não...) gravados nas paredes com a técnica pela qual, hoje, o mundo o reconhece. Retira camadas à parede para nela criar as figuras. Ele próprio reconheceu numa entrevista: "Gosto muito de experimentação pura, de desbastar os preconceitos de utilizar materiais que não são tidos como nobres, ou recorrer a processos que não são valorizados. O meu trabalho tem uma dimensão destrutiva e abrasiva muito forte, embora esta seja essencialmente processual, metodológica. (...) O objetivo é criar através de processos destrutivos.

Isto tem uma vertente simbólica muito grande. Gosto de atingir resultados poéticos através destes meios destrutivos.

Gosto também de refletir e levantar questões sobre a valorização do que chamamos arte.

▲ Marinheiro robô a lançar, com a mão, um barco à água

É muito interessante, por exemplo, poder retirar um pedaço de parede do seu contexto normal, do espaço público, expô-lo numa galeria e observar o modo como passa a ser visto, como tendo um valor muito mais elevado do que tinha."

Na parede de um armazém junto ao rio uma mulher parece esperar o marido, no mar, abraçada por um robô. Obra de **Pixel Pancho**.

É um artista de rua italiano, natural de Turim. É um especialista em grandes murais e deve ser considerado como um dos melhores na sua área. Gosta de trabalhar com um esquema de cores da terra para transmitir um sentimento mais antigo. Cria figuras robóticas inspiradas em ambientes diferentes: praia, mar, floresta, etc. Pela cidade encontramos trabalhos dele em conjunto com Vhils.

Mulher abraçada por um robô ▶

Nos anos trinta, Vicente Inácio Martins era um menino que vendia pássaros pelas ruas da cidade de Setúbal. Naquela época foi fotografado por Américo Ribeiro. Agora **Sérgio Odeith** baseou-se nessa fotografia para homenagear o fotógrafo e reproduziu o **Rapaz dos Pássaros**.

Sérgio Odeith levou nove dias a pintar o mural, tendo utilizado uma técnica mista que variou entre a pintura com rolo e o *graffiti*. A obra tem cerca de 20 metros de altura e pode ser vista de longe por quem passa pela principal avenida da cidade.

A obra é essencialmente pintada a preto e branco, tendo como exceções os pássaros que são apresentados de forma colorida. Uma característica do artista está nos adornos tridimensionais que acrescentou ao mural e que não faziam parte da imagem original. Assim como a moldura da pintura e a assinatura no fundo do mural, que transmite uma sensação de profundidade.

Odeith é um dos *writers* mais antigos e conhecidos da cidade de Lisboa. Há muito que se tornou conhecido fora de Portugal. Pode encontrar-se o talento do artista espalhado por Londres, Dubai, Nova Orleães ou Abu Dhabi. O trabalho de Odeith destaca-se pelo anamorfismo que joga com perspetivas para fazer o *graffiti* saltar do muro, quase literalmente.

GLOSSÁRIO
abrasivo: aquilo que desgasta por fricção
adorno: enfeite
alheado: absorto nos seus próprios pensamentos; distraído
anamorfismo: formação de minerais complexos a partir de substâncias mais simples
boquilha: tubo por onde se fuma cigarro
caligrafia: forma de letra
desbastar: polir; aperfeiçoar; desbravar
grua: guindaste
homenagear: galardoar; distinguir; honrar
ortodoxo: que segue fielmente um princípio, uma norma ou uma doutrina

O rapaz dos pássaros ▶

COMPREENSÃO

Explique o sentido das frases de acordo com o texto.

1. "São verdadeiras galerias de arte cujo teto é o céu."

____

____

2. "Fê-la [a pintura] sem qualquer projeção prévia (...)"

____

____

3. "Gosto muito de experimentação pura, de desbastar os preconceitos de utilizar materiais que não são tidos como nobres, ou recorrer a processos que não são valorizados. O meu trabalho tem uma dimensão destrutiva e abrasiva muito forte (...)"

____

____

____

____

4. "Uma característica do artista está nos adornos tridimensionais que acrescentou ao mural (...)"

____

____

____

VOCABULÁRIO

1. Complete o texto com as palavras dadas.

reais	**habitantes**	**moradores**
favela	**população**	**demolição**
projeto	**expropriação**	**comunidade**

Vhils em Providência, Rio de Janeiro

A ________ mais antiga do Rio de Janeiro, com uma ________ de milhares de pessoas, foi marcada por um processo de expropriação antes do Mundial de Futebol de 2014 e dos Jogos Olímpicos de 2016.

Cerca de um terço da ________, com 832 casas, foi ameaçada com a ________ das suas habitações a fim de dar lugar a um ________ de reabilitação no valor de milhões de ________.

Contudo, esse investimento não ia atingir os ________ da favela.

Em meados de setembro de 2012, o artista urbano português Vhils e a sua equipa passaram um mês em Providência. À luz do processo de ________ e demolição, desenvolveram um projeto artístico, no qual envolveram os ________, cravando os retratos de alguns daqueles que tinham sido despejados no que restou das suas casas.

Assista a um vídeo sobre este trabalho de Vhils em http://youtu.be/PVATJR-eriQ.

2. No texto encontramos palavras como: *graffiti*, *stencil* ou *poster-bomb*. São **estrangeirismos**. **Escolha, entre as hipóteses dadas, aquela que corresponde ao significado do estrangeirismo.**

chance	acaso	oportunidade	troco
croquis	esboço	jovem	pintura
gaffe	deslize	raridade	facto
nuance	semelhança	nebuloso	cambiante
première	estreia	primeira	bolo
matinée	filme	peça	sessão da tarde
scanner	câmara	digitalizador	fotocopiadora
jeans	calças	calças de ganga	calção
vitrine	montra	janela	vidro
groggy	atordoado	enjoado	doente

3. Construa uma frase com cada uma das palavras em português que corresponde ao estrangeirismo do exercício anterior.

a) ____

____

b) ____

____

c) ____

____

d) ____

____

e) ____

____

f) ____

____

g) ____

____

h) ____

____

i) ____

____

j) ____

____

4. Escolha um dos seguintes prefixos e encontre a palavra contrária. Escreva uma frase utilizando essa nova palavra.

des- *i-* *ir-* *im-* *in-*

a) responsável ≠ ____________ ______________________________
____

b) legal ≠ ____________ ______________________________
____

c) fazer ≠ ____________ ______________________________
____

d) habitado ≠ ____________ ______________________________
____

e) feliz ≠ ____________ ______________________________
____

f) harmonia ≠ ____________ ______________________________
____

g) perdoável ≠ ____________ ______________________________
____

h) coerente ≠ ____________ ______________________________
____

i) previsto ≠ ____________ ______________________________
____

j) real ≠ ____________ ______________________________
____

GRAMÁTICA

1. Transforme a frase dada, começando como indicado e não alterando o sentido. Pode completá-la sempre que considerar necessário.

a) Este tipo de arte serve para que os autores possam expressar a sua opinião sobre o que os rodeia.

Embora ____
____.

b) É também através desta expressão artística que divulgam mensagens sobre o que sentem, muitas vezes como se fossem poemas, mas na forma de desenho.

Ele disse que ____
____.

5. A Boa Escrita. **Assinale as palavras que não estão corretamente escritas e reescreva-as. Pode haver mais de uma em cada alínea.**

a) adoção / receção / coacção ____________________

b) tractor / diretor / ator ____________________

c) acção / transacção / infeção ____________________

d) humilde / humano / eléctrico ____________________

e) óptimo / decepcionado / adoção ____________________

f) veem / leem / dêem ____________________

g) diariamente / facilmente / cafézinho ____________________

h) fim de semana / guarda-costas / dia a dia ____________________

i) cor-de-rosa / couve-flor / ervilha-de-cheiro ____________________

j) bem-estar / cor-de-laranja / mal-educado ____________________

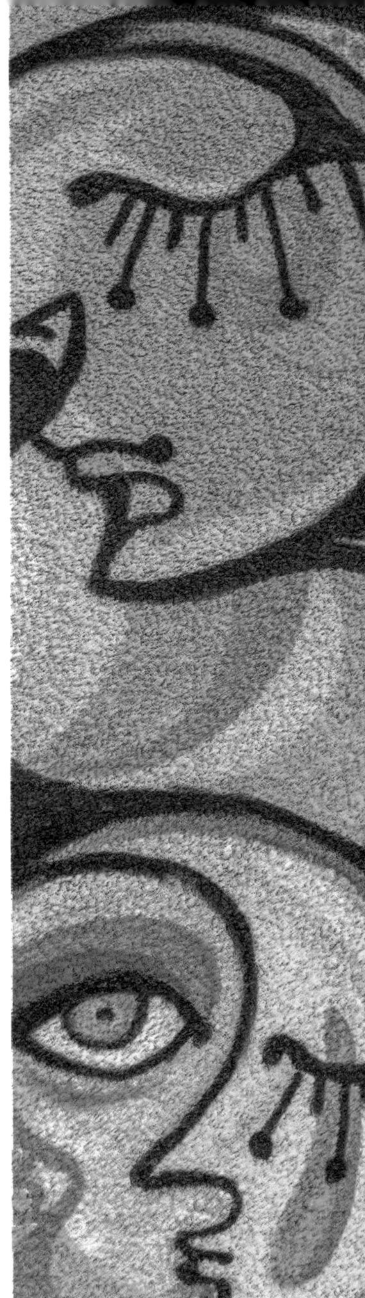

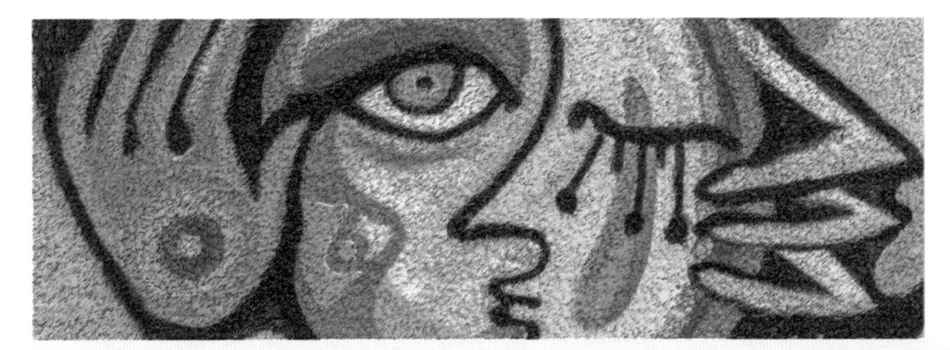

c) É uma pintura bonita. Passo por aqui todos os fins de semana e nunca me canso de a admirar. Há gente com muito talento. Não há dúvida!

Ela confidenciou-nos que ____
____.

d) Nos anos trinta, Vicente Martins foi fotografado por Américo Ribeiro.

Américo Ribeiro ____
____.

e) A obra tem cerca de 20 metros de altura e pode ser vista de longe por quem passa pela principal avenida da cidade.

Apesar de ____
____.

2. Complete as frases com o conector mais adequado.

além disso	**ou seja**	**com o intuito de**	**para que**
talvez	**com efeito**	**dado que**	**apesar de**

a) ________________ a Arte Urbana estar em franca expansão, ainda há muitas pessoas que não reconhecem o valor destes artistas.

b) O grupo de estudantes estrangeiros organizou uma visita pela cidade ________________ fotografarem diversos murais repletos de *graffiti*.

c) ________________ o momento não seja o mais apropriado para falarmos desse assunto.

d) Todo o trabalho foi exposto na galeria ________________ todas as pessoas tivessem a mesma oportunidade de apreciar a obra do artista.

e) Quem passeia pelas ruas pode encontrar arte em cada esquina, ________________ vemos artistas de diferentes dimensões: músicos, *workers*, malabaristas, homens-estátua, etc.

f) Agora vive-se numa época em que a arte faz parte do nosso dia a dia, ________________: já não precisamos de nos deslocar a lugares distantes para a podermos apreciar.

g) Desloquei-me a Setúbal para ver o mural de Sérgio Odeith e, ________________, é um trabalho espetacular.

h) Temos o privilégio de ter arte urbana aqui e ali. Somos bafejados pela sorte de termos jovens talentosos e arrojados que se dedicam à arte. ________________, também há pessoas que usufruem do resultado deste tipo de arte. Não nos esqueçamos do que vimos no *link* mencionado num exercício anterior.

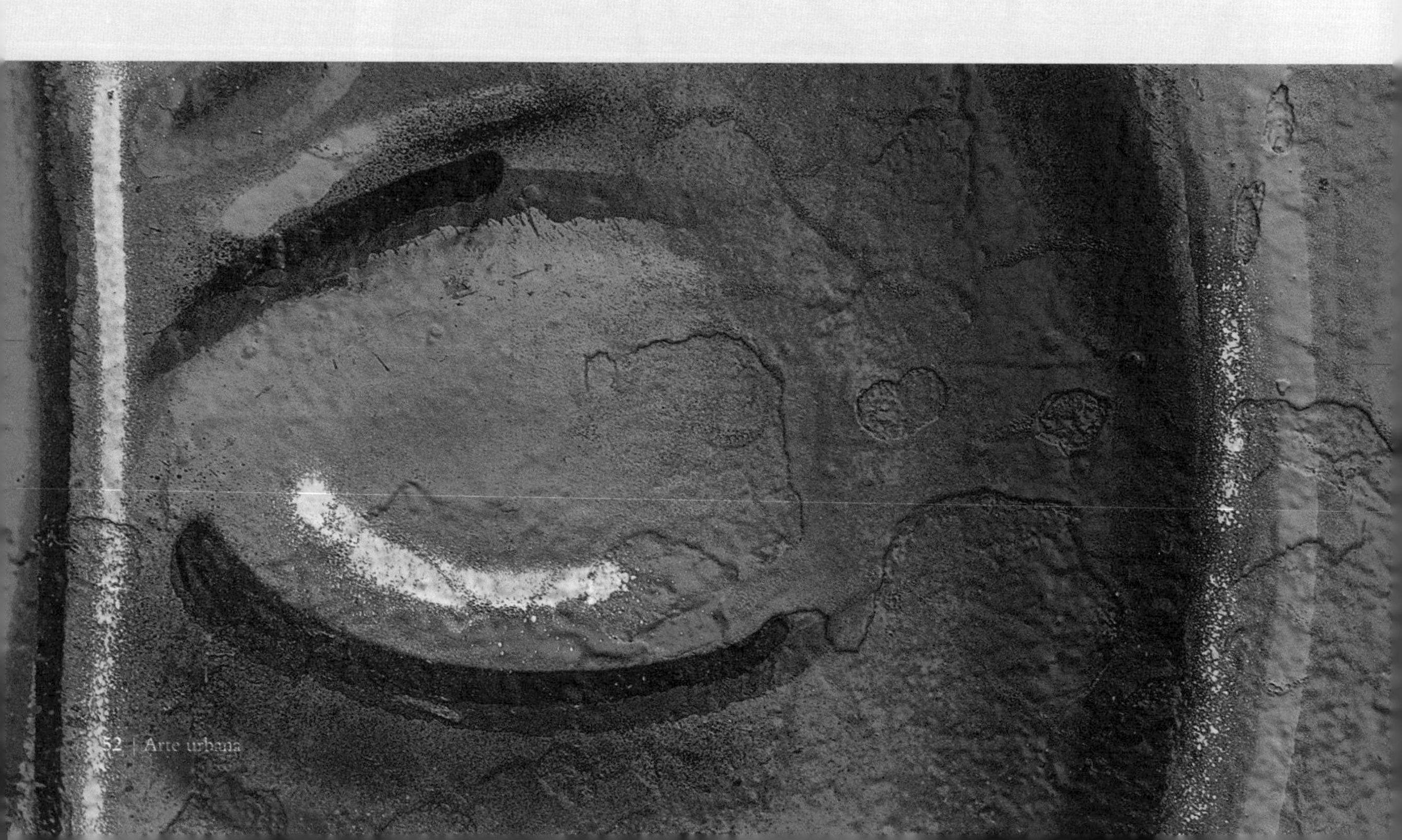

3. "Uma senhora, ao *passar por* aquela parede (...)". O verbo "passar" é usado com diferentes preposições, tomando diferentes sentidos.
Substitua a expressão assinalada por uma equivalente, tendo em atenção a conjugação do verbo.

passar por	**passar de... a**	**passar a**
passar de	**passar-se em**	**passar para**

a) Se já tivesse **mudado desta casa para** a nova, estaria mais perto de vocês.

____

b) Finalmente **comecei a** ter mais cuidado com a alimentação.

____

c) O caso do qual te falei **aconteceu nos** arredores da vila onde moro.

____

d) Ela fala muito bem alemão, até **parece** uma alemã.

____

e) Até que enfim! Os exames terminaram e ele **transitou de** ano.

____

f) Ele é um pouco negligente. Pouco ou nada faz, por isso mesmo, não **consegue ir de** empregado **a** chefe.

____

PARA COMENTAR

- **O *graffiti* é uma expressão artística ou uma atitude de rebeldia?**
- **A arte urbana é aquela que é assinada pelo artista; *graffiti* é a que aparece anonimamente.**
- **O *graffiti* é uma maldição não só para as paredes e outras áreas urbanas imaculadamente pintadas, como também para comboios, túneis, etc.**

Ser supersticioso dá azar...?

Sorte?

Ao longo dos tempos, **algumas superstições têm-se fixado na memória**, nos costumes ou na cultura de uma sociedade, de um povo ou do indivíduo. Subsistem nas sociedades modernas, e todos nós, do leigo ao cientista, sucumbimos a esses atos por alguns considerados insensatos.

Porque será que evitamos passar por baixo de uma escada? Porque é que batemos com os nós dos dedos na madeira depois de expressarmos otimismo e dizemos "**cruzes, canhoto!**"? Porque é que dizemos "**Deus te ajude**" depois de alguém espirrar?

Pois é, todos nós evitamos esta ou aquela situação, "**não vá o diabo tecê-las**", e mesmo assim ainda admitimos não ser supersticiosos. A verdade é que as superstições têm passado de geração em geração e as mais populares têm ganho terreno, espalhando-se e resistindo ao tempo e ao avanço da tecnologia. É claro que não têm qualquer base científica, mas há gestos que evitamos no nosso dia a dia. Não se sabe ao certo a origem de como as superstições começaram a influenciar a vida do homem, mas certamente têm uma origem bem distante no tempo.

Há superstições que são resquícios de cultos ou rituais religiosos que já desapareceram. Muitas pessoas perpetuam-nos, mas não sabem explicar a razão ou a origem de uma determinada superstição. Na maioria dos casos sobrevive apenas a noção de que, se aquele comportamento não for observado, o pior poderá acontecer.

Pensando bem... o que a pessoa supersticiosa quer é manter o controlo da própria vida, algo que é impossível, já que o futuro é incerto...

Há quem diga que a superstição "deve ajudar as pessoas a lidarem consigo e com o mundo à sua volta, tem um aspeto positivo e agregador (...)".

Vamos lá conhecer **a origem de certas superstições**. Tanto quanto se sabe, é claro!

Dá azar passar por baixo de uma escada

Há quem diga que esta superstição teve origem há 5000 anos no Antigo Egito. Os egípcios consideravam a forma triangular sagrada (lembremo-nos das famosas pirâmides). Para eles, a figura triangular representava a trindade dos deuses, e passar por um triângulo era profaná-los. Ora, uma escada encostada a uma parede forma um triângulo...

Segundo Charles Panati, "esta crença atravessou os tempos e, séculos mais tarde, os seguidores de Jesus Cristo usurparam a superstição, interpretando-a à luz da morte de Cristo. (...) Como uma escada descansou contra o crucifixo, tornou-se um símbolo de maldade, de morte e traição. Passar por baixo de uma escada trazia desgraça".

Mais tarde, por volta de 1600, na Inglaterra os criminosos eram obrigados a caminhar debaixo de uma escada no caminho para a forca.

Má sorte!

Espelho partido, sete anos de azar

Era costume, na Grécia Antiga, as pessoas consultarem um "vidente de espelho", o qual se debruçava sobre a sorte de quem o procurava através da análise das suas reflexões. Reflexões

Azar?

estas que se baseavam na adivinhação através da água e de um espelho. A este processo chamava-se catoptromancia. Mergulhava-se o espelho na água e uma pessoa doente era convidada a olhar para o recipiente. Se a imagem aparecia distorcida, não havia dúvida: a morte aproximava-se. Mas se a imagem era clara, então essa pessoa viveria muitos anos.

Posteriormente, no século I d. C., os romanos introduziram uma ressalva nesta superstição. Acreditavam que a saúde das pessoas mudava em ciclos de sete anos. Então, uma imagem distorcida resultante de um espelho partido significava sete anos de azar e falta de saúde.

Outra vez, má sorte!

Gato preto que se atravessa à nossa frente

Neste caso, há quem acredite que traz azar ou boa sorte. Vá-se lá saber!

Também no Antigo Egito os gatos eram reverenciados, quer fossem pretos ou não. Um gato preto que se cruzasse no caminho de alguém trazia-lhe boa sorte. Não fosse a adorada Deusa Bastet ter cabeça de gato…

Porém, durante a Idade Média, em muitas partes da Europa, as pessoas acreditavam que o gato preto trazia azar. Consideravam que os gatos pretos tinham uma aliança com as bruxas e, por isso, cruzar com um gato preto prenunciava azar.

Afinal: sorte ou azar?

Sal derramado

Se isto acontecer, o melhor é mesmo deitar uma pitada para trás do ombro esquerdo. Assim evita-se o azar...

Esta crença vem dos Sumérios, por volta do ano 3500 a. C. Eles acreditavam que podiam anular o efeito do azar se assim procedessem, já que o sal derramado era considerado um efeito de má sorte há já milhares de anos.

Mas, afinal, qual era o valor do sal? Bem, se consideramos que era um bem precioso (uma espécie de ouro para os romanos) devido às propriedades que tinha para conservar os alimentos, derramá-lo significava desperdiçar algo de muito valioso. Dali não vinha sorte alguma!

Abrir o guarda-chuva dentro de casa

Há quem considere que esta crença também teve origem no Antigo Egito. Que eles eram supersticiosos, todos nós sabemos mas, afinal de contas, os historiadores apontam para uma época mais recente e na Inglaterra: a época vitoriana.

Charles Panati escreveu que no século XIX, em Londres, os guarda-chuvas à prova de água eram de metal. O mecanismo para o abrir era bastante difícil, o que o tornava num objeto perigoso para ser aberto dentro de casa. Se um destes guarda-chuvas fosse aberto repentinamente numa casa pequena, podia partir algum objeto ou, até mesmo, ferir gravemente uma pessoa. Mesmo que provocasse um acidente de menores proporções, ninguém se livrava de proferir palavras desagradáveis ou iniciar uma briga, o que era sinal de azar numa família ou entre amigos.

Daqui se infere o sábio conselho: dentro de casa, o guarda-chuva deve ficar sempre fechadinho.

GLOSSÁRIO

briga: desavença; luta; disputa
derramar: verter; entornar
inferir: deduzir; tirar por conclusão
leigo: desconhecedor; ignorante
profanar: injuriar; ofender; macular
resquício: vestígios: restos
ressalva: exceção
sucumbir: ceder; acabar; desaparecer
tecer: inventar; intrigar; tramar
usurpar: apoderar-se violentamente do que pertence a outrem

COMPREENSÃO

Explique o sentido das frases de acordo com o texto.

1. "A verdade é que as superstições têm passado de geração em geração e as mais populares têm ganho terreno (...)"

2. "Pensando bem... o que a pessoa supersticiosa quer é manter o controlo da própria vida (...)"

3. "Acreditavam que a saúde das pessoas mudava em ciclos de sete anos (...)"

4. "Consideravam que os gatos pretos tinham uma aliança com as bruxas (...)"

a) Imagine três situações em que se apliquem as seguintes expressões:

1. "Cruzes, canhoto!"

2. "Deus te ajude."

3. "Não vá o diabo tecê-las."

VOCABULÁRIO

1. Complete o texto com as palavras dadas.

chaves	decorativo	orelha	sorte	mão	gato
aranha	sabe	acreditam	tradições	pé	quando
comichão	cultural	dinheiro	enfeitar	porta	dinheiro

Só os portugueses são supersticiosos?

Tanto quanto se ________, não. Cada país tem as suas ________ e crenças, de tal modo que muitas vezes até fazem parte do património ________. Vejamos alguns casos.

Na Suécia dá azar pousar ou deixar as ________ em cima da mesa; na Itália consideram que o espirro do ________ traz sorte; na Grécia a terça-feira é o dia do azar; no Japão, matar uma ________ de manhã é destruir uma alma humana; na Polónia, dá ________ agarrar num botão ________ se vê um limpa-chaminés.

Os portugueses também não gostam nada de sentir a ________ esquerda muito quente, porque é sinal que estão a falar mal deles.

Para dar sorte e evitar a falta de ________, é bom ter um elefante a ________ um móvel, mas sempre com a tromba erguida e de costas para a ________ da entrada. (Atenção: trata-se de um elefante ________. Nada de ter um verdadeiro dentro de casa, porque se pode *virar o feitiço contra o feiticeiro*.) Se se tiver ________ na palma da ________, é sinal de que se irá receber ________; mas comichão na sola do ________ já significa outra coisa: uma viagem ao estrangeiro. Também nas áreas rurais, os habitantes dão muita ênfase à adoração dos santos, porque ________ piamente que serão curados por eles quando estão doentes. Daí que se diga: "Se Deus quiser!".

2. Palavras com a mesma raiz etimológica. Escreva duas palavras da mesma família das seguintes.

a) memória ________ ________	**e) cientista** ________ ________	**i) criminoso** ________ ________
b) antigo ________ ________	**f) símbolo** ________ ________	**j) anular** ________ ________
c) sorte ________ ________	**g) razão** ________ ________	**k) vida** ________ ________
d) azar ________ ________	**h) morte** ________ ________	**l) luxo** ________ ________

3. Analogias. Há uma relação lógica entre a primeira e a segunda palavras.
Descubra as relações lógicas em falta.

a) azar	azarado	**g) sorte**	____________
b) vida	viver	**h) morte**	____________
c) certo	acertar	**i) errado**	____________
d) pequeno	pequeníssimo	**j) grande**	____________
e) antes	anterior	**k) depois**	____________
f) caminhar	caminhante	**l) andar**	____________

4. No texto aparece a expressão "dá azar". Há outras **expressões idiomáticas** com o verbo "dar".
Encontre na coluna B o significado das expressões da coluna A.

A	B
a) Dar um passo em falso	**1.** Amedrontar
b) Dar conta de	**2.** Deixar de funcionar
c) Dar medo	**3.** Tomar uma má resolução
d) Dar o berro	**4.** Casar
e) Dar música	**5.** Lisonjear
f) Dar andamento	**6.** Aperceber-se de
g) Dar o nó	**7.** Enganar
h) Dar graxa	**8.** Despachar

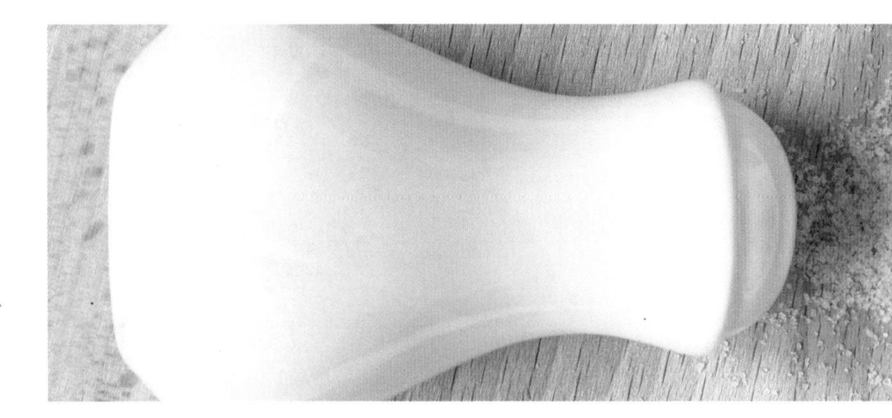

5. "(...) todos nós (...) sucumbimos a esses atos por alguns considerados *insensatos*."

Escolha um dos seguintes prefixos e encontre a palavra contrária. Escreva uma frase utilizando essa nova palavra.

des- *i-* *ir-* *im-* *in-*

a) agradável ≠ ____________ ______________________________

____

b) próprio ≠ ____________ ______________________________

____

c) limitado ≠ ____________ ______________________________

____

d) prudente ≠ ____________ ______________________________

____

e) mobilizado ≠ ____________ ______________________________

____

f) responsável ≠ ____________ ______________________________

____

g) habitado ≠ ____________ ______________________________

____

h) repreensível ≠ ____________ ______________________________

____

i) satisfeito ≠ ____________ ______________________________

____

j) capaz ≠ ____________ ______________________________

____

GRAMÁTICA

1. Transforme a frase dada, começando como indicado e não alterando o sentido. Pode completá-la sempre que considerar necessário.

a) Há quem diga que a superstição deve ajudar as pessoas a lidarem consigo e com o mundo.

Há pessoas que ____________________ para que ____________________

____.

b) Há superstições que são resquícios de cultos ou rituais religiosos que já desapareceram.

Embora ____

____.

c) "Esta crença atravessou os tempos e, séculos mais tarde, os seguidores de Jesus Cristo usurparam a superstição, interpretando-a à luz da morte de Cristo."

Charles Panati afirmou que ____

____.

d) No século I d. C. os romanos introduziram uma ressalva nesta superstição.

Uma ressalva ____

____.

e) Há quem acredite que o gato preto traz azar ou boa sorte.

Ainda que ____

____.

f) Eles acreditavam que podiam anular o efeito do azar se assim procedessem.

Ainda hoje eles ____________________ caso ____________________

____.

g) Se um destes guarda-chuvas fosse aberto numa casa pequena, podia ferir gravemente uma pessoa.

No caso de amanhã ____

____.

h) Acreditavam que a saúde das pessoas mudava em ciclos de sete anos.

Esperavam que ____

____.

2. Conjunções. Complete as frases da coluna A com as da coluna B.

A	B
a) Não gosto de entornar sal na mesa	**1.** consoante as crenças nas quais acreditam.
b) Odeio ver gatos pretos à minha frente,	**2.** que eles não se conseguem libertar das superstições.
c) Não nos importamos de ter os guarda-chuvas dentro de casa,	**3.** mal ouviu os colegas dizerem que era um tipo com muita sorte.
d) Eles procedem	**4.** enquanto ia passando por baixo de umas escadas quando vinha para o trabalho.
e) A tradição é de tal modo arreigada,	**5.** porque dá azar.
f) Bateu com os nós dos dedos na madeira	**6.** porquanto achou um trevo de quatro folhas.
g) Fiz figas com os dedos,	**7.** se alguém espirrar perto de ti.
h) A Maria está feliz	**8.** embora goste muito de animais.
i) Não te esqueças de dizer "Saúde"	**9.** conforme me recomendaste.
j) Quando ela cá vier, vou pôr uma vassoura de cabeça para baixo atrás da porta	**10.** conquanto não estejam abertos.

3. Complete o texto com a preposição mais adequada. Faça contração com o artigo quando necessário.

de com em sem para

Na passagem de ano dá azar...

Ter os bolsos vazios. Se passar a passagem ________ ano ________ dinheiro ________ a algibeira, ou ________ carteira, pode ter a certeza que o novo ano lhe trará azar nas finanças.

Vestir roupas escuras. Dizem que quem assim se vestir ________ esta data pode atrair azar e momentos turbulentos ________ o ano que se vai iniciar.

Usar roupas velhas também não é aconselhável. Já pensou que se vai entrar ________ um novo ano deve deixar ________ trás tudo o que já viveu ________ as roupas passadas?

Passar o *réveillon* sozinho(a). Ponha as tristezas ________ trás ________ as costas e cerque-se ________ amigos (ou conhecidos...) e familiares divertidos. Dance, cante, salte e beba muito espumante!

Deitar cedo. Já a minha avozinha dizia (e ela era sábia ________ estas questões...) que quem assim faz pode esperar um ano ________ cama. Doente, é claro!

Cruzes, canhoto! Queremos um ano melhor!

PARA COMENTAR

- **Acha que a superstição é um hábito "dos mais fracos"?**
- **Quais são as superstições mais conhecidas no seu país? E você, acredita? Tem alguma?**
- **Amuletos. Para que servem e quem os utiliza.**

Velhos são os trapos

Já estão reformados, mas têm uma genética que não lhes permite parar, baixar os braços e ficar enfiados no sofá a ver televisão. Sentem-se com energia para fazer coisas que nunca tiveram tempo de pôr em prática. Querem aprender aquilo que a vida não lhes facultou. Não se querem sentir no fim da vida. Se para uns é difícil tomar a decisão de dar um novo rumo à vida isoladamente, para outros é um desafio para provarem, a si próprios, que ainda são capazes.

Maria Alzira tem 72 anos e enviuvou há poucos anos. O único filho trabalha no estrangeiro. Como as saudades eram muitas, e só falar ao telefone não bastava, decidiu inscrever-se num curso de informática para a **terceira idade**. Comprou um portátil. Agora, além dos *e-mails* que troca com o filho, também já utiliza o *Skype* e todos os dias tem umas horas destinadas ao convívio familiar: conversa com os netos e acompanha o crescimento deles; fala do dia a dia por cá e quer saber o que se passa por lá... Isto é, quer vê-los e não sentir a distância. Mas esta fantástica ferramenta também lhe serve para contactar as amigas, "falamos muito e apoiamo-nos umas às outras. Até já planeámos umas visitas ao Norte. Quando uma de nós não está *online,* já as outras se preocupam e tentam saber o que se passa. É uma companhia", referiu Maria Alzira.

G. Pinheiro, aos 66 anos, é uma mulher dinâmica. Foi professora e fez um curso de Administração Escolar, mas a vontade de se manter ativa levou-a a aceitar o desafio e inscreveu-se como **voluntária** para a Ilha do Príncipe.

Foi dar formação a professores do ensino básico e do secundário. Aos sábados, dava formação sobre gestão de conflitos e indisciplina na escola. Esteve ao abrigo de um projeto da Gulbenkian no qual também colaboravam jovens. "Há uma rede de escolas muito organizada e completa que cobre toda a ilha. Mas os professores não são professores e os educadores também

não. O magistério é feito em São Tomé e poucos têm condições económicas para o fazer", referiu G. Pinheiro.

Não sentiu qualquer dificuldade na adaptação a "uma nova vida", nem tão pouco no alojamento. Vivia numa casa na qual só havia eletricidade a certas horas do dia, devido ao fornecimento por gerador a gasóleo. Às vezes até a luz era cortada para poupar o gerador. A água também era uma restrição "tomava banho às escuras e de cócoras, para aproveitar a água".

O nome desta voluntária ficou conhecido entre a comunidade onde viveu. Ainda hoje, algumas pessoas lhe pedem ajuda sobre a administração escolar – "Apareciam dúvidas de como fazer um regulamento interno, um processo eleitoral ou uma avaliação. Tinham uma enorme ânsia por aprender."

"**Seguir o que o coração diz**", foi o lema de Maria Adelaide. Após uma longa e intensa vida de trabalho, com pouco tempo para ela e com muita vontade de poder ajudar os outros, decidiu inscrever-se para trabalhar como voluntária num hospital oncológico da cidade. O tempo que lá esteve foi gratificante. Não tinha horário para "trabalhar" e nem dava pelo cansaço. Ia para o hospital logo de manhã e tinha uma palavra amiga para cada doente. Ouvia-os atentamente e eles ficavam-lhe gratos. Lia-lhes notícias dos jornais. Ajudava-os a comer, quando eles já não tinham forças. Estava presente quando acordavam da anestesia após as dramáticas cirurgias. Oferecia flores à quinta-feira a cada doente. Sorria, sempre!

Um dia, também ela partiu. Todos os que a conheciam disseram: "Parte com o coração cheio."

Mas ainda há uma considerável mina de cabelos brancos que viaja, não só dentro, mas também para fora do país. Alguns são sócios de associações de vertente cultural. Escolhem lugares com os quais sonharam durante anos. Vão com amigos, ou não. Isso não importa, porque o fundamental é conhecer e sociabilizar. Sentem-se, uma vez mais, realizados e compensados. Voltam com as fotos e as histórias para contar aos que ficaram…

Georgina, casada e já avó, sente que nos seus 65 anos pode fazer outras coisas que não sejam só ir às compras, arrumar a casa e fazer o comer. Pertence, desde há alguns anos, a um coro. Duas vezes por semana tem ensaio e aos fins de semana há uma exibição cuja receita reverte a favor de uma organização que se dedica aos menos favorecidos da cidade onde mora. Georgina diz: "agora sinto-me realizada. Os filhos estão criados e os netos também. O tempo agora é meu."

Também os ginásios têm visto aumentar o número de frequentadores seniores. Frequentam-nos essencialmente para se sentirem melhor física e psicologicamente, mas também aproveitam o facto para terem um motivo para sair e conhecer outras pessoas, quer dizer: falar, porque o silêncio do dia a dia é duro, quando a família já está demasiado reduzida.

Também as universidades têm criado Cursos Livres em áreas diversificadas nos últimos anos. Não são cursos destinados exclusivamente a idosos, mas a verdade é que eles são a maioria que os frequenta. Já há muito que deixaram os estudos, mas o desejo de **saber** e de se manterem ativos intelectualmente leva-os a inscreverem-se, a participarem e até a fazerem trabalhos de grupo.

As Universidades da Terceira Idade (ou de Seniores, como alguns preferem chamar) têm sido uma boa aposta para todos aqueles que **não querem arrumar as botas**.

GLOSSÁRIO
aposta: desafio; opção
cobrir: envolver; ocupar
cócoras: agachado; sentado sobre os calcanhares
enviuvar: estado civil após a morte do marido ou da mulher
facultar: ceder; dar; oferecer
gerador: dispositivo que transforma energia mecânica, química ou calorífica em energia elétrica
gratificante: satisfatório; recompensador
magistério: professorado
reverter: destinar lucro/ganho a favor de
sénior: mais velho; idoso

COMPREENSÃO

Explique o sentido das frases de acordo com o texto.

1. "(...) têm uma genética que não lhes permite parar, baixar os braços e ficar enfiados no sofá a ver televisão."

____

____

____

2. Dar um novo rumo à vida.

____

____

____

3. Seguir o que o coração diz.

____

____

____

4. "(...) mina de cabelos brancos..."

____

____

____

5. "(...) falar, porque o silêncio do dia a dia é duro, quando a família já está demasiado reduzida."

____

____

____

6. "(...) aqueles que não querem arrumar as botas."

____

____

____

VOCABULÁRIO

1. No texto aparece a expressão "pôr em prática". Há outras **expressões idiomáticas** com o verbo "pôr". **Encontre na coluna B o significado das expressões da coluna A.**

A	B
a) Pôr em causa	**1.** Descobrir
b) Pôr a boca no trombone	**2.** Contar/ficar a saber as últimas novidades
c) Pôr a nu	**3.** Acreditar em absoluto em alguém
d) Pôr a escrita em dia	**4.** Mandar alguém embora
e) Pôr a careca à mostra a alguém	**5.** Duvidar
f) Pôr a cabeça em água a alguém	**6.** Divulgar uma verdade ou segredo
g) Pôr a andar	**7.** Fazer desesperar alguém
h) Pôr as mãos no fogo	**8.** Desmascarar alguém

2. Escolha a palavra ou expressão mais aproximada da que se encontra destacada.

a) Têm uma genética que **não lhes permite baixar os braços**.

- ☐ não têm força nos braços
- ☐ não gostam de estar ocupados
- ☐ não gostam de estar sem atividade

b) Falamos muito e **apoiamo-nos umas às outras**.

- ☐ encostamo-nos umas às outras
- ☐ ajudamo-nos reciprocamente
- ☐ conversamos muito umas com as outras

c) Tinham uma **enorme ânsia por aprender**.

- ☐ muita vontade de aprender
- ☐ muito nervosismo por aprender
- ☐ muitas dúvidas se podiam aprender

d) Seguir o que o coração diz.

- ☐ não arriscar
- ☐ ir ao cardiologista
- ☐ fazer o que mais deseja

e) Há uma considerável **mina de cabelos brancos**.

- ☐ jovens com o cabelo pintado
- ☐ idosos
- ☐ adolescentes

f) É uma organização que se dedica **aos menos favorecidos**.

- ☐ aos que têm mais dificuldades económicas
- ☐ aos que não gostam de sociabilizar
- ☐ aos que não têm família

g) Os filhos **estão criados**.

- ☐ estão em casa dos pais
- ☐ vivem em casa de amigos
- ☐ são independentes

h) Todos aqueles que não querem **arrumar as botas**.

- ☐ usar sapatos
- ☐ deixar o calçado debaixo da cama
- ☐ deixar de estar ativos

3. "Pertence, desde há alguns anos, a um *coro*".

Encontre na coluna B o significado dos nomes coletivos da coluna A.

A	B
a) Assembleia	**1.** Conjunto de artistas (cinema ou teatro)
b) Elenco	**2.** Grupo de ladrões
c) Frota	**3.** Grupo de pessoas ou coisas
d) Magote	**4.** Grupo de pessoas que se revezam em determinado serviço
e) Pomar	**5.** Grupo de pessoas reunidas para determinado fim
f) Quadrilha	**6.** Conjunto de navios ou aviões
g) Réstia	**7.** Grande extensão de vinhas
h) Turno	**8.** Conjunto de cebolas ou alhos atados pelo caule
i) Vinhedo	**9.** Conjunto de árvores de fruta
j) Constelação	**10.** Conjunto de estrelas

4. Escolha o verbo mais apropriado para completar as frases.

a) Eles gostam muito de _________ elogios aos amigos.

dar **formular** **tecer**

b) Ao _________ conversa com o vizinho do lado, deu-se conta de que tinham os mesmos interesses.

começar **entabular** **ouvir**

c) No caso de a viagem não se realizar, quem é que vai _________ a responsabilidade?

dizer **guardar** **assumir**

d) Todos nós sabemos que não vale a pena _________ esperanças, quando já não existem.

acalentar **lamentar** **viver**

e) É necessário _________ contacto com os outros interessados no curso, a fim de serem informados da data de início.

abrir **estabelecer** **fazer**

f) Pontualmente, vamos _________ uma exceção para este caso.

pedir **medir** **abrir**

5. A Boa Escrita.

a) Escreve-se com **g** ou **j**?

baga___em	___ejum	cora___em
elo___io	al___ibeira	___eitoso

b) Escreve-se com **ch** ou **x**?

e___celente	___ávena	e___agero
bru___a	mo___ila	quei___a

c) Escreve-se com **c**, **ç** ou **ss**?

erup___ão	a___entuar	pê___ego
gro___eiro	impre___ionar	tendên___ia

GRAMÁTICA

1. Complete o quadro.

Antigamente...	É melhor...	Ultimamente...	Tomara que...	Lamentei que...	Enquanto...
apoiávamo-nos			nos apoiemos		
	fazeres			tivesses feito	
vivia		tenho vivido			viver
		têm visto			virem
	escolherem		escolham		
preferiam				tivessem preferido	
	frequentares				frequentares

2. Construa uma só frase, utilizando um pronome relativo para juntar as duas frases dadas.

a) Escolheram o voluntariado. Vivem intensamente para ele.

____

b) Foi dar formação a professores do ensino básico. O ensino básico está a atravessar uma crise económica.

____

c) Os idosos inscreveram-se num Curso Livre da Universidade. O curso terminou no passado mês.

____

d) Precisamos de gente dinâmica. Gostávamos de trabalhar com eles.

____

e) Estes são os meus amigos. Vou viajar com eles na primavera.

____

f) Um grupo de vários idosos organizou um coro. Cantam no coro todos os sábados.

____

g) Maria Alzira tem uma amiga de infância. Sai com a amiga todas as tardes.

____

h) Vai ser organizada uma viagem cultural. Todos os idosos podem participar nela.

____

3. Substitua a parte destacada pelos pronomes pessoais de complemento direto ou indireto (ou ambos, contraídos).

a) Até já planeámos **umas visitas** ao Norte.

____

b) Maria Antónia fez **um curso de artes decorativas** em regime pós-laboral.

____

c) Depois de se reformarem terão **mais oportunidades** com toda a certeza.

____

d) Quando voltam, mostram **as fotos aos amigos que ficaram**.

____

e) Perguntaram **a mim e ao meu marido** se queríamos ir para o ginásio deles.

____

f) Escreveria **à Maria Amélia** se tivesse o *e-mail* dela. Mas não tenho.

____

g) Ela quer **as compras** feitas ao fim de semana.

____

h) Enviaremos **as fichas de inscrição aos candidatos**.

____

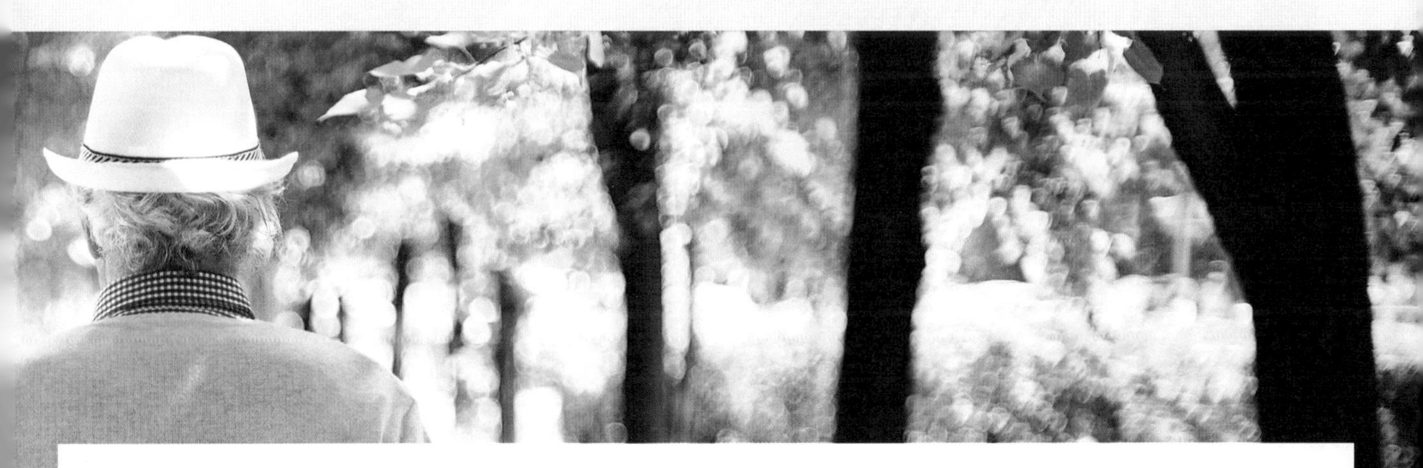

PARA COMENTAR

- **Quando se chega à idade da reforma, o melhor é descansar. Foi uma vida de cansaço, preocupações, horários a cumprir…**
- **"Velhos são os trapos" – ainda só tenho 82 anos…**
- **Quais são as razões a favor e contra a reforma aos 67 anos? Deveria ser mais cedo? A que idade é que seria justo iniciar a reforma?**

A sesta

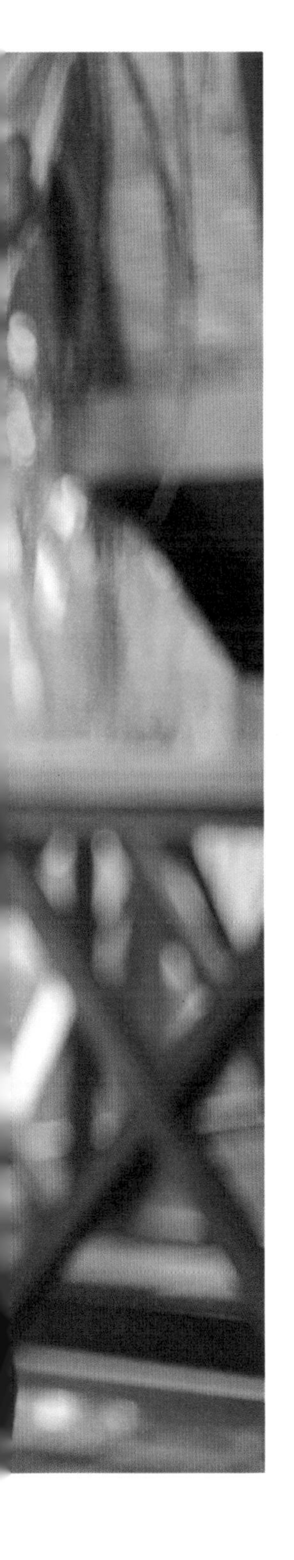

Já **Van Gogh a pintava**... E nós perguntamo-nos: sim ou não à sesta?

A palavra **sesta** tem origem na expressão latina *hora sexta* que no calendário romano (o dia iniciava-se às 6 da manhã) correspondia à sexta hora a partir da manhã ou seja: ao meio-dia.

Tanto quanto se sabe, esta tradição surgiu na Europa, no século XIII, e, apesar do progresso da humanidade e do ritmo acelerado da vida moderna, foi-se espalhando, ao longo dos anos, por alguns países. É um hábito em alguns deles, como a Espanha, por exemplo. Mas a influência espanhola propagou esta tradição de dormir durante o dia até muitos países latino-americanos. A explicação está principalmente nas altas temperaturas que se fazem sentir a meio do dia, geralmente após o almoço, e as pessoas optarem por dormir nas horas mais quentes do dia e trabalhar durantes as horas mais frescas. Mas não se pense que é um hábito de dormir horas e horas a fio à espera de que o tempo arrefeça. Longe disso!

Segundo os especialistas em sono, é repousante descansar **não mais de 40 minutos** porque, após este período, o organismo começa a entrar em sono profundo, e acordar nesta fase pode ser pior. Quer isto dizer que as pessoas acabariam por acordar com uma sensação de cansaço, lentidão e confusão mental. Ora, não é isto o pretendido para quem precisa de continuar a atividade laboral.

A vontade que a maioria de nós sente em fazer uma soneca surge devido ao facto de o aumento da temperatura do corpo humano favorecer o dito sono. Com esta explicação já ficamos mais descansados e não nos culpabilizamos a pensar que somos preguiçosos.

Por outro lado, também o sono que nos ataca após o almoço tem uma justificação: o que se passa é que grande parte da energia do corpo está voltada para a digestão dos alimentos que acabámos de ingerir e o fluxo sanguíneo concentra-se no aparelho digestivo, deixando o cérebro de lado. Como é o sangue que transporta o oxigénio, o cérebro acaba por receber menos quantidade e fica cansado, sonolento...

É por tudo isto que precisamos de dormitar um pouco para nos regenerarmos e melhorarmos o nosso poder cerebral e a memória. Será que os nossos chefes são sensíveis a esta imperativa necessidade? Hummm…

Em Portugal, o hábito de fazer a sesta está longe de ser encarado como uma questão que mereça discussão pública. Em 2003, foi criada a Associação Portuguesa dos Amigos da Sesta, tendo mexido com as hostes nacionais. Num curto espaço de tempo passou de 4 para 246 associados, entre os quais pessoas de diversos ramos e estratos sociais. O então presidente desta associação afirmou que "a sesta é uma causa social" e acrescentou que "há quem leve o tema a sério, mas outros levam-no como uma paródia."

Em Foz Coa, algumas pessoas tentaram implementar este ritual numa empresa, mas a necessidade de aproveitar a hora de almoço para tratar de assuntos burocráticos foi mais forte. O presidente da associação disse ainda que "os empresários deveriam criar condições para que os funcionários pudessem repousar, porque podemos sentir-nos muito cansados e com *stress* ao final da manhã, mas se dormirmos alguns minutos, retomamos o trabalho como novos".

Então, chefes, vamos ou não ter o direito à sesta?

GLOSSÁRIO
estrato: camada
fluxo: fluido; líquido que corre
hoste: multidão; grande número de pessoas
imperativo: que se impõe; fundamental
implementar: pôr em prática; executar
paródia: brincadeira; animação; pândega
propagar: alastrar; transmitir
soneca: sono curto

COMPREENSÃO

Explique o sentido das frases de acordo com o texto.

1. "(...) dormir horas e horas a fio (...)"

____

____

2. "Em 2003, foi criada a Associação Portuguesa dos Amigos da Sesta, tendo mexido com as hostes nacionais."

____

____

3. "(...) a sesta é uma causa social (...)"

____

____

4. "(...) há quem leve o tema a sério, mas outros levam-no como uma paródia."

____

____

VOCABULÁRIO

1. Complete o texto com as palavras dadas.

presença	**corpo**	**sesta**	**reputação**	**ignorância**
memória	**biológicos**	**boas-vindas**	**decisões**	**cardíaco**
ócio	**mediterrânica**	**associação**	**porta**	**acreditam**

Faça a sesta, mude a sua vida!

Já que bateu à nossa ________, faça favor de entrar, a casa é sua. A APAS – Associação Portuguesa dos Amigos da Sesta dá-lhe as ________ e congratula-se com a sua ________. Somos uma ________ de pessoas diligentes que ________ na boa prática da cultura ________, benéfica para a harmonia dos ritmos ________ e de todo adequada à saúde física, psíquica e mental.

Vítima de má ________ pelos seus detratores que por ________ ou maldade a conotaram com a preguiça e o ________, bem pelo contrário – estudos académicos e científicos o comprovam – a sesta reduz o *stress*, revigora a ________, impulsiona a criatividade, minimiza o risco de colapso ________, clarifica a tomada de ________, melhora a produtividade...

De resto, a sesta é um procedimento natural; o ________ pede-a. Aos humanos, aos outros mamíferos, às aves.

Informe-se e divulgue. Bem-haja pela sua visita. Volte sempre. Antes ou depois da ________. ◀ **http://amigosdasesta.org**

2. Complete o quadro.

Nome	Verbo	Adjetivo
a origem		
		acelerado
	optar	
a confusão		
		preguiçoso
a digestão		
	sensibilizar	
	implementar	
	repousar	
		burocrático

3. Forme provérbios juntando um elemento de cada coluna.

A	B
a) A união	**1.** sua sentença.
b) Aqui se faz,	**2.** faz a força.
c) Cada cabeça,	**3.** nem tanto à terra.
d) Casa arrombada,	**4.** trancas à porta.
e) De pequenino	**5.** pouco siso.
f) Faz mais quem quer	**6.** é que se torce o pepino.
g) Muito riso,	**7.** aqui se paga.
h) Nem tanto ao mar	**8.** do que quem pode.

4. Explique o sentido dos provérbios do exercício anterior.

a) ____

____

b) ____

____

c) ____

____

d) ____

____

e) ____

____

f) ____

____

g) ____

____

h) ____

____

5. **Palavras com a mesma raiz etimológica. Escreva duas palavras da mesma família das seguintes.**

a) fio	______________ ______________	**e) digestão**	______________ ______________
b) dia	______________ ______________	**f) merecer**	______________ ______________
c) atividade	______________ ______________	**g) causa**	______________ ______________
d) humano	______________ ______________	**h) empresa**	______________ ______________

GRAMÁTICA

1. **Complete o texto com a preposição mais adequada. Faça contração com o artigo quando necessário.**

para **por** **em** **com** **sem** **de** **a** **entre**

Dormir a sesta não significa pregar olho toda a tarde!

É uma discussão recorrente cá ________ casa e que nunca termina ________ forma consensual. Na verdade, é uma questão que se tem posto muito poucas vezes desde que o Manuel nasceu, mas, ainda assim, volta e meia é debatida. E o que é que está ________ causa? As sestas.

________ mim, uma sesta é um pequeno repouso, normalmente após o almoço, uns minutos ________ que a pessoa se encosta um bocadinho, ________ o sofá, ________ a cama, e passa ligeiramente ________ as brasas, ________ chegar a entrar num sono profundo. É um descanso que dura ________ 15 e 45 minutos, ________ o máximo. Isto é uma sesta, é o conceito ________ sesta.

________ a minha mulher, não – isto não faz sentido. Uma sesta é uma pessoa dormir ________ a tarde, mas dormir a sério, um pequeno descanso que vai ________ as 2 horas e a tarde toda. Já a vi dormir sestas ________ as três e meia e as sete e meia, ________ exemplo, sobretudo ________ aqueles domingos mais frios ________ que não temos vontade ________ sair das mantas ________ o sofá. Isso, ________ mim é impensável. Eu sou um pouco paranoico ________ as perdas de tempo, e não sou propriamente um apaixonado ________ dormir, ________ isso começo ________ ficar *stressado* e vejo as horas a correrem e eu ali deitado, ________ fazer nada.

Mas a verdade é que nem é sequer isso que me faz dormir pouco ________ a tarde, as tais sestas, que normalmente duram 20 a 25 minutos. O meu corpo não pede mais, mesmo quando estou cansado. Tenho uma espécie ________ relógio biológico que dá horas ________ o fim ________ esse tempo, e que me deixa restabelecido e ________ sono. Se assim é, porque é que hei de ficar deitado ________ a cama a olhar ________ o teto?

Estou a escrever este texto precisamente ________ um desses momentos. Mãe e bebé estavam ferrados ________ o sono quando fui almoçar (fui correr 20 quilómetros ________ manhã só ________ tirar a ferrugem às pernas, e eles comeram primeiro). Terminei o almoço, fui ter ________ eles, encostei-me um

bocadinho e adormeci 20 minutos. Acordei, tentei arrancá-la ________ a cama ________ irmos dar um passeio, mas ela é que me mandou passear. O que vale é que o puto daqui a nada está ________ berrar e não haverá como ela não acordar.

2. "Para nos *mantermos* despertos e mais produtivos, necessitamos de fazer uma sesta no máximo de 20 minutos." Além de "manter", há outros verbos derivados de "ter": **abster-se / conter / deter / entreter-se / obter / reter.**

Escolha o verbo mais apropriado e conjugue-o corretamente.

a) Ultimamente o João ____________ bastante com o jogo que lhe demos no ano passado. Nem tem feito a sesta!

b) Esta unidade ____________ um longo exercício de preposições.

c) Embora eles ____________ autorização para descansarem após a hora do almoço, optaram por tratar de assuntos burocráticos.

d) Ainda que muitos ____________, eu acho que vamos conseguir fazer valer os nossos direitos.

e) Tive de esperar algum tempo até me entregarem os documentos. Informaram-me de que os ____________ por não estarem devidamente preenchidos.

f) Ontem fiquei preocupado porque já era tarde e ela ainda não tinha chegado. Quando chegou, pediu-me desculpa e disse-me que ____________ a falar com uma amiga da universidade.

g) Depois de eu ter visto uma injustiça tão grande, não ____________ e disse-lhe tudo o que pensava. Já há muito que andava para o fazer.

h) Na semana passada a polícia ____________ três imigrantes ilegais.

3. Complete as frases com o conector mais adequado.

ainda assim	**apesar de**	**contudo**	**não obstante**
nem que	**no entanto**	**embora**	**ao passo que**

a) Eles trabalham muitas horas por semana, ____________ têm sempre tempo para ajudar os amigos.

b) ____________ estarmos cansados, não queremos fazer uma sesta. É uma perda de tempo.

c) Vou preparar o jantar, ____________ eles tenham dito que traziam uns petiscos.

d) As informações que nos deram foram esclarecedoras. ____________, ainda tenho umas questões a colocar.

e) ____________ a doença, mantém-se sempre bem-disposta e não tem faltado ao trabalho.

f) O preço da gasolina tem aumentado bastante nos últimos tempos, ____________ o preço do gasóleo se tem mantido.

g) Já fiz uma sesta das 3 às 5, ____________ sinto-me cansada.

h) Eu preciso que me ligues ____________ seja à meia-noite. Preciso de falar contigo.

PARA COMENTAR

- A sesta deveria ser institucionalizada em todos os países. Só traz benefícios.
- Todas as empresas deveriam ter um ginásio, um SPA ou um gabinete de massagens dos quais os empregados pudessem beneficiar durante uma hora por dia. Isso traria maior rentabilidade no tempo útil de trabalho.
- Todo aquele que se sente cansado depois do almoço é preguiçoso.

Serão os portugueses **felizes?**

Claro que são. Ou melhor: **são moderadamente felizes**. Mas ser moderado é uma característica intrínseca dos portugueses. Quando perguntamos a alguém "Como está?", a resposta provavelmente será um "Mais ou menos..." ou "Vai-se andando...". Nunca se consideram totalmente felizes ou satisfeitos. Faz parte da nossa cultura não estarmos nem muito mal nem muito bem. Estamos invariavelmente no meio. Somos mesmo muito moderados!

Quando pesarosamente lastimamos a sorte de outrem, não é raro ouvir uma resposta do tipo "Pois foi, mas podia ter sido pior." Temos o dom de minimizar algumas dores físicas ou espirituais e de *dar a volta por cima*. Para o sociólogo Rui Brites é necessário "contrariar o discurso pessimista que se vê em todo o lado de que os portugueses são os mais infelizes da Europa".

Ao falarmos de felicidade, estamos a referir-nos a ela em várias dimensões: padrões materiais de vida, saúde, educação, atividades pessoais e política. É claro que todos nós sabemos que não há felicidade completa em qualquer uma destas dimensões. Somos lúcidos e não *enterramos a cabeça na areia* perante as dificuldades pelas quais passamos, tais como: insatisfação política, desemprego, carestia de vida, etc.

A insatisfação política tem aumentado nos últimos anos e é neste âmbito que os portugueses têm abandonado a posição do "meio".

Segundo os dados do último Inquérito Social Europeu, somos o país da Europa que menos se interessa pela política. Desta insatisfação resulta que todo aquele que não se interessa pela política também não é capaz de tomar decisões políticas. Rui Brites vai mais longe ao dizer que as pessoas passam muito tempo a discutir futebol e a dizer mal do governo, ainda que muitas delas sejam alheias à política. Mas a razão parece estar no facto de o salazarismo ter deixado marcas mais profundas do que pensamos, e estas práticas demorarem muito tempo a passar. Naquele tempo as pessoas não eram motivadas para terem uma presença política, porque ela era reservada exclusivamente aos políticos. Daí que, ainda hoje, haja muita abstenção de voto. Por um lado, porque as pessoas estão descontentes com a política que se faz no país, por outro, porque não acreditam que o seu voto vá servir para alguma coisa... "porque isto já não se endireita".

Estatisticamente, os jovens são os que mais se abstêm, enquanto os idosos são os que mais vão às urnas. A estes ainda lhes resta uma esperança e algum sentimento de dever cívico.

Será que estamos...?

Umas vezes mais do que outras, mas cá vamos *remando contra a maré*. Não tivéssemos sido um país de grandes marinheiros!

Alguns portugueses têm refeito a sua vida profissional após momentos dramáticos. Uns porque perderam o emprego, mas *deitam mãos à obra* e criam novas atividades; outros, porque não encontram trabalho compatível com as qualificações e decidem emigrar. Ninguém parte com a felicidade no coração, mas também não se deixam derrotar.

Maria Borges, 26 anos, é um dos muitos casos que vale a pena analisar. Quando acabou os estudos (estudou Enfermagem) e sem perspetiva de trabalho, decidiu partir. Foi difícil deixar a família e os amigos, mas era necessário tomar uma decisão e não *ficar de braços cruzados*. Partiu para Pemba, Moçambique, para trabalhar numa organização de voluntariado. Trabalhou com doentes infetados com VIH/SIDA, alguns já em fase terminal, mas sempre lhes deu um sorriso amigo e muito carinho. Foi recompensada com o bem que transmitiu: voltou com o "coração cheio" e a sentir-se mais completa. Viu gente a morrer, mas sempre com esperança.

Deu-se conta de que havia gente em situações de vida bem mais dramáticas do que a dela. Relativizou muitas coisas às quais dava grande importância. Agora diz ser uma pessoa mais tolerante, serena e feliz. Ela própria diz "agora aprecio mais um arco-íris num céu azul".

Miguel Silva nasceu numa aldeia na Beira Baixa e aí viveu até há quatro anos. Trabalhava numa fábrica têxtil que acabou por fechar devido à crise no setor. Casado e com dois filhos viu-se sem trabalho aos 32 anos. Ao abrigo de um programa do Instituto do Emprego e Formação Profissional fez um curso de Hotelaria e Restauração e depois estagiou como rececionista num hotel na Covilhã. Mais tarde conseguiu um trabalho em Coimbra. Nos primeiros tempos era impossível ir a casa com frequência, mas com o apoio da mulher e restante família, esta distância tornou-se menor. "Se a minha família não me tivesse apoiado tanto, não sei como teria sido. Para mim é uma enorme felicidade ter um núcleo familiar sólido", referiu Miguel.

Felicidade

Se estou só, quero não estar,
Se não estou, quero estar só,
Enfim, quero sempre estar
Da maneira que não estou.

Ser feliz é ser aquele,
E aquele não é feliz,
Porque pensa dentro dele
E não dentro do que eu quis.

A gente faz o que quer
Daquilo que não é nada,
Mas falha se o não fizer,
Fica perdido na estrada.

▲ **Fernando Pessoa**, *in Poemas Inéditos (1930–1935)*

GLOSSÁRIO
abstenção: privação ou desistência voluntária de um direito político, cívico ou social
ao abrigo: sob a proteção de
carestia: carência; escassez
dom: talento; capacidade
intrínseco: que faz parte da essência; inerente
núcleo: âmago; essência; ponto principal
outrem: outra pessoa
pesaroso: desgostoso

COMPREENSÃO

Explique o sentido das frases de acordo com o texto.

1. "Vai-se andando...".

____

____

____

2. "Temos o dom de (...) dar a volta por cima."

____

____

____

3. "(...) não enterramos a cabeça na areia (...)".

____

____

____

4. "(...) porque isto já não se endireita".

____

____

____

5. "(...) cá vamos remando contra a maré".

____

____

____

VOCABULÁRIO

1. Complete o teste com as palavras dadas e depois responda às perguntas. Não se esqueça de conferir o resultado.

felicidade	problemas	alegre	dorme	opinião
colegas	prazer	desafios	coisas	relação
bem	sonhos	imagem	lotaria	imediato

Teste realizado pela psicóloga **Martha Zouain** ▶

E você, é feliz no emprego?

	SIM	NÃO
• Quando acorda para ir trabalhar, sente-se ________ disposto(a) e entusiasmado(a)?	◯	◯
• Tem uma relação de harmonia e integração com os seus ________?	◯	◯
• Sente ________ nas pequenas conquistas no seu trabalho?	◯	◯
• As outras pessoas veem-no(a) como uma pessoa ________ e positiva?	◯	◯
• Sente constantemente uma sensação de ________ no trabalho, mesmo que não haja um motivo específico?	◯	◯
• Tem planos e ________ para o seu futuro?	◯	◯
• No dia a dia de trabalho, acontecem-lhe com frequência ________ interessantes e motivantes?	◯	◯
• Quando se vê ao espelho, gosta da ________ refletida?	◯	◯
• Quando se deita, adormece de ________ e, na maior parte das vezes, ________ toda a noite sem acordar?	◯	◯
• Considera-se otimista em ________ à vida?	◯	◯
• É considerado(a) uma referência na sua profissão e, como tal, recorrem a si para emitir uma ________ ou ser consultado(a) sobre um assunto?	◯	◯
• Minimiza os ________ que lhe acontecem e sobrevaloriza as coisas boas?	◯	◯
• Encara os obstáculos do trabalho como ________ a serem superados?	◯	◯
• Se ganhasse a ________, continuava a trabalhar ainda que a um ritmo mais tranquilo?	◯	◯
• Se pudesse voltar atrás, escolhia a mesma profissão?	◯	◯

Agora some os SIM e veja o resultado.

De 14 a 15 respostas SIM: Parabéns! Escolheu uma profissão que o(a) realiza. As suas atitudes tendem a ser positivas e favoráveis perante a vida. Tem tendência a aproximar as pessoas de si, e estas a considerá-lo(a) uma referência profissional.

De 12 a 13 respostas SIM: É provável que tenha feito a escolha certa. No entanto, está a dispersar energias que podem ser mais bem canalizadas. Se nada fizer, poderá ficar cada vez mais longe da tão procurada felicidade.

De 10 a 11 respostas SIM: Cuidado! O seu momento é crítico. Reflita sobre a sua vida como um todo. Entenda que a felicidade está ao dispor de todos e você tem a responsabilidade de encontrar o melhor caminho para chegar até ela.

Abaixo ou igual a 9 respostas SIM: Todo o profissional (quer seja em início de carreira ou não) deve saber com objetividade onde quer chegar. Só assim alcança a felicidade. A CORAGEM é o seu maior desafio.

2. No texto aparece a expressão "não enterramos a cabeça na areia".
Encontre na coluna B o significado das expressões idiomáticas da coluna A.

A	B
a) Passar-se dos carretos	**1.** Não divulgar o que sabe
b) Não me aquece, nem me arrefece	**2.** Poucas pessoas
c) Ir na esgalha	**3.** É-me indiferente
d) Fechar-se em copas	**4.** Ter cautela
e) Pôr-se a pau	**5.** Fazer sem dificuldade
f) Ir dar uma volta ao bilhar grande	**6.** Ser muito calmo
g) Meia dúzia de gatos pingados	**7.** Perder o juízo/enlouquecer
h) Fazer de olhos fechados	**8.** Estar à vontade
i) Estar nas sete quintas	**9.** Ir incomodar outro
j) Ser um paz de alma	**10.** Ir com muita velocidade

3. Construa uma frase usando cada uma das expressões idiomáticas do exercício anterior.

a) ____
____

b) ____
____

c) ____
____

d) ____
____

e) ____
____

f) ____
____

g) ____
____

h) ____
____

i) ____
____

j) ____
____

4. Escolha o verbo mais apropriado para completar as frases.

a) Perante qualquer que seja a dificuldade, não se deve ________ os braços logo à primeira.

encolher **baixar** **erguer**

b) Ao ________ tamanho desinteresse, não vai conseguir o que ambiciona.

dar **demonstrar** **mostrar**

c) Ele trabalhou bastante até ________ os objetivos.

atingir **perder** **encontrar**

d) Se vocês quiserem ________ o sacrifício de trabalhar ao sábado de manhã, para melhorarem a situação, estamos dispostos a ajudar-vos.

levar **trazer** **fazer**

e) Elas decidiram ________ uma piada sobre a situação ridícula que viram.

fazer **levar** **atirar**

f) É melhor você ________ às aulas diariamente, porque caso contrário vai ter dificuldades.

atender **assistir** **tomar**

g) É desaconselhável ________ em causa tudo o que se ouve. Nem tudo são boatos!

colocar **levar** **pôr**

GRAMÁTICA

1. Complete as frases usando as palavras dadas e conjugando o verbo.

a) No ano passado / por mais que / (eu) / tentar …

____

____

b) Não acho que / (ela) / chegar …

____

____

c) Para que / (vocês) / ter boas notas …

____

____

d) Agradeço que / (os senhores) / dizer …

____

____

5. A Boa Escrita. Assinale a palavra corretamente escrita.

a) projecto	projeto
b) Carnaval	carnaval
c) sábado	Sábado
d) inseto	insecto
e) vêem	veem
f) mal-criado	malcriado
g) pé-de-meia	pé de meia
h) recém nascido	recém-nascido
i) auto-retrato	autorretrato
j) micro-ondas	microndas

e) Logo que / (ele) / sair ...

____

____

f) Enquanto / (vocês) / estar / em casa ...

____

____

g) Era melhor / (tu) / apanhar ...

____

____

h) Havia quem / dizer ...

____

____

2. Complete as frases com a preposição mais adequada. Faça contração com o artigo quando necessário.

de em por com para a

Segredos que nos guiam até ao bem-estar, até à felicidade

- Expressar gratidão, através do exercício das três bênçãos (acabar o dia a identificar as três coisas boas que nos aconteceram);
- Não se comparar ________ os outros;
- Praticar pequenos atos ________ generosidade, aprendendo ________ perdoar;
- Cultivar, conscientemente, as amizades;
- Deixar que as emoções, boas ou más, se libertem;
- Fazer uma pausa ________ o frenesi ________ o dia a dia;
- Arranjar tempo ________ o exercício físico regular;
- Meditar;
- Ir além ________ o destino, interpretando o que nos acontece e o que fazemos;
- Não se vitimizar;
- Se quiser ser bem-disposto, finja que é e acabará ________ ser;
- Brincar mais ________ a vida, despreocupando-se.

3. Substitua a parte destacada pelos pronomes pessoais de complemento direto ou indireto (ou ambos, contraídos).

a) Diz já **o teu nome**!

____

b) Eu teria comprado **a tal enciclopédia**, se não fosse tão cara.

____

c) Eles escreveriam **aos amigos**, se soubessem o endereço.

____

d) Se eu te pedisse, trar-me-ias **a encomenda** dos Correios? Obrigada.

____

e) Não me agradeças. Fiz **isso** com muito gosto.

____

f) Penso que ela emprestará **o livro ao colega**.

____

g) Eles terão visto **o filme**?

____

h) Ela quer **o assunto** resolvido quanto antes.

____

PARA COMENTAR

- Interprete o poema de Fernando Pessoa "Felicidade".
- O que é que faz as pessoas sentirem-se felizes no seu país?
- "O dinheiro não traz felicidade, mas ajuda muito!"

Como é que
ficámos tão
chatas?

Dantes, a vida era simples. Não era preciso mandar 30 *e-mails* e 58 SMS para combinar qualquer coisa. Agora, até tomar café com uma amiga exige mais organização do que um golpe de Estado. Como é que, de repente, nos tornámos pessoas tão complicadas?

A agenda

DANTES – Ligávamos a alguém por volta das 12h45. "Marta, anda daí comer qualquer coisa." Resposta: "Está bem. Quem chegar tarde é um ovo podre."

AGORA – Humm... Hoje tenho a hora do almoço livre. Vou ligar à Marta. "Ai, hoje não posso porque tenho de acabar uma coisa urgente". Ninguém pode. Uma vai a casa ao almoço porque o bebé não para de vomitar, outra tem aula de zumba, outra já combinou com outra pessoa, outra está na Tailândia, outra agora não almoça, outra não responde, outra mudou de número... "Está bem, então se não podes hoje vamos combinar outro dia, que já não te vejo há anos". Então: "Amanhã também não posso porque tenho uma reunião, na terça eu posso, mas tu não, na quarta vou à minha mãe, quinta e sexta vou tirar dois dias..." Quando damos por isso, a marmita é a nossa melhor amiga.

A ementa

DANTES – Nem víamos o que é que tínhamos no prato, o que interessava era a conversa.

AGORA – Toda a gente tem algum tipo de "restrição" alimentar. Uma não come gorduras, a outra não come fritos, a outra não come nada que não seja bio, a outra não come, ponto. Uma é alérgica ao glúten, outra descobriu que é alérgica à lactose, outra não come carne, outra não come açúcar, outra não come pão, outra não come sal, outra não come hidratos de carbono porque a Maria José não deixa, outra não come a partir das sete, outra não come antes das sete. É preciso paciência!

DANTES – Falávamos de tudo – das pessoas, de filmes, de vestidos, de livros, de namorados, de coisas sérias, de coisas parvas.

AGORA – Acaba-se sempre numa das duas hipóteses: a fotografar o prato de salada e espetá-lo no *Facebook* com o comentário: "Almoço com amigas que não via há anos: que saudaaaaades!" E a ficar em *stress* à espera de mais um *like* e a fazer comentários. Ou: a rodar o ecrã do telemóvel à procura de fotos dos filhos para mostrar às outras. De repente alguém diz: "Ai, isto para a Joana está a ser uma chatice, que ela não tem filhos." A Joana, que tinha estado a publicar no *Facebook* "Mas porque é que as pessoas não se calam com as gracinhas das crianças", acorda de repente, tenta fazer um ar simpático e diz "Não, não... eu até gosto de vos ouvir", fazendo uma nota mental para não voltar a almoçar com alguém que tenha filhos, netos ou cães pequenos e ainda estejam na fase do deslumbre.

A relação

DANTES – Amo-te. Amas-me? Claro que sim. Fixe. Quantos filhos queres? Imensos. Está bem.
AGORA – É preciso levar as crianças ao médico, é preciso lavar a loiça do jantar, e antes foi preciso fazer o jantar, e verificar se fizeram os trabalhos de casa, e mesmo que não haja filhos há outras coisas, o trabalho, o chefe, a "mesmice" do dia a dia. É verdade que uma relação também é feita disso, de não se ter paciência, de não se ter tempo, de não ter de pintar os olhos para estar com aquela pessoa, de não ter máscaras... Isto é tão romântico, não se percebe que a rotina seja tão insultada em nome de uma inocência adolescentoide que já passou. De qualquer maneira, às vezes temos pena de que tudo passe à frente do romantismo que ainda podíamos ter, de que haja tempo para ir às compras e para arrumar a casa, mas nunca para namorar. Mas pronto. É a vida.

As férias

DANTES – Ligávamos à Rita: "Liga à Maria e à Leonor e pergunta-lhes se querem vir acampar para a quinta do meu tio Zé". Punham três vestidos na mochila e estava a andar. Ou, então, dividia-se um estúdio no aldeamento.
AGORA – O Sul é quente, mas tem "viquingues" estrangeiros e filas para a praia e não apetece pegar no carro. O Norte é sossegado e charmoso, mas não tem praia, tem frigoríficos, e chove metade dos dias ou o nevoeiro só levanta lá para as três da tarde, e pelas três da tarde já metade das crianças adormeceu outra vez, fez birra ou partiu a cabeça (e o jarrão chinês da residencial). O sonho de uma vida era ir para um hotel de luxo, mas descobre-se que há uma explicação para os sonhos terem uma fantástica propensão para nunca se realizarem (...). Acabamos no mesmo aldeamento para onde sempre fomos. É mau e caro, mas pelo menos já sabemos com o que é que contamos.

Dantes não éramos perfeitas e não queríamos saber. Agora queremos: e dá trabaaaaalho. Ficamos perfeitas... e chatas. A vida complicou-se: não porque estamos mais velhas, mas porque tudo à nossa volta mudou...

O visual

DANTES – Banho. Calças de ganga. T-shirt. Ou um vestido. E pronto.
AGORA – Já se inventaram produtos para cada centímetro do corpo: há cremes especiais para o contorno dos olhos, para o pescoço, para as mãos, para a barriga, para as pernas, para os pés; há séruns e cremes e loções. Há anticelulíticos, e hidratantes (...), e águas de Colónia, e *parfum*, e *eau parfum*, e *eau* de não sei do quê, e *eau* hidratante, e *baumes*, isto para não falar na lista imensa de tralha para o cabelo (...). E ainda nem sequer abrimos o armário: dantes tudo nos ficava bem. Agora há dias em que nos sentimos um clone de baleia. E há aqueles dias em que nada nos cai bem (...). Era suposto aprendermos o "despojamento" com a idade, mas a idade só nos ensinou que a idade dá trabalho... Vantagem: o consolo de estarmos muito melhor do que as nossas avós com a nossa idade... ◀ Texto adaptado, **Catarina Fonseca** *in Activa*

GLOSSÁRIO
chatice: maçada; aborrecimento
deslumbrar: fascinar; seduzir; ofuscar
despojamento: privação; renúncia; rejeição
fixe: formidável; excelente
marmita: recipiente com tampa, para transportar comida
parva: palerma; pateta; idiota
tralha: amontoado de coisas com pouca ou nenhuma utilidade
vomitar: expelir pela boca substâncias que estão no estômago

COMPREENSÃO

Explique o sentido das frases de acordo com o texto.

1. "(...) quinta e sexta vou tirar dois dias..."

____

____

2. "(...) isto para a Joana está a ser uma chatice (...)."

____

____

3. "(...) fazendo uma nota mental para não voltar a almoçar com alguém que tenha filhos, netos ou cães pequenos e ainda estejam na fase do deslumbre."

____

____

4. "(...) a *mesmice* do dia a dia."

____

____

5. "O Norte é sossegado (...), mas não tem praia, tem frigoríficos, e chove (...)."

____

____

6. "E há aqueles dias em que nada nos cai bem (...)."

____

____

VOCABULÁRIO

1. Palavras Cruzadas. Escolha a palavra mais adequada.

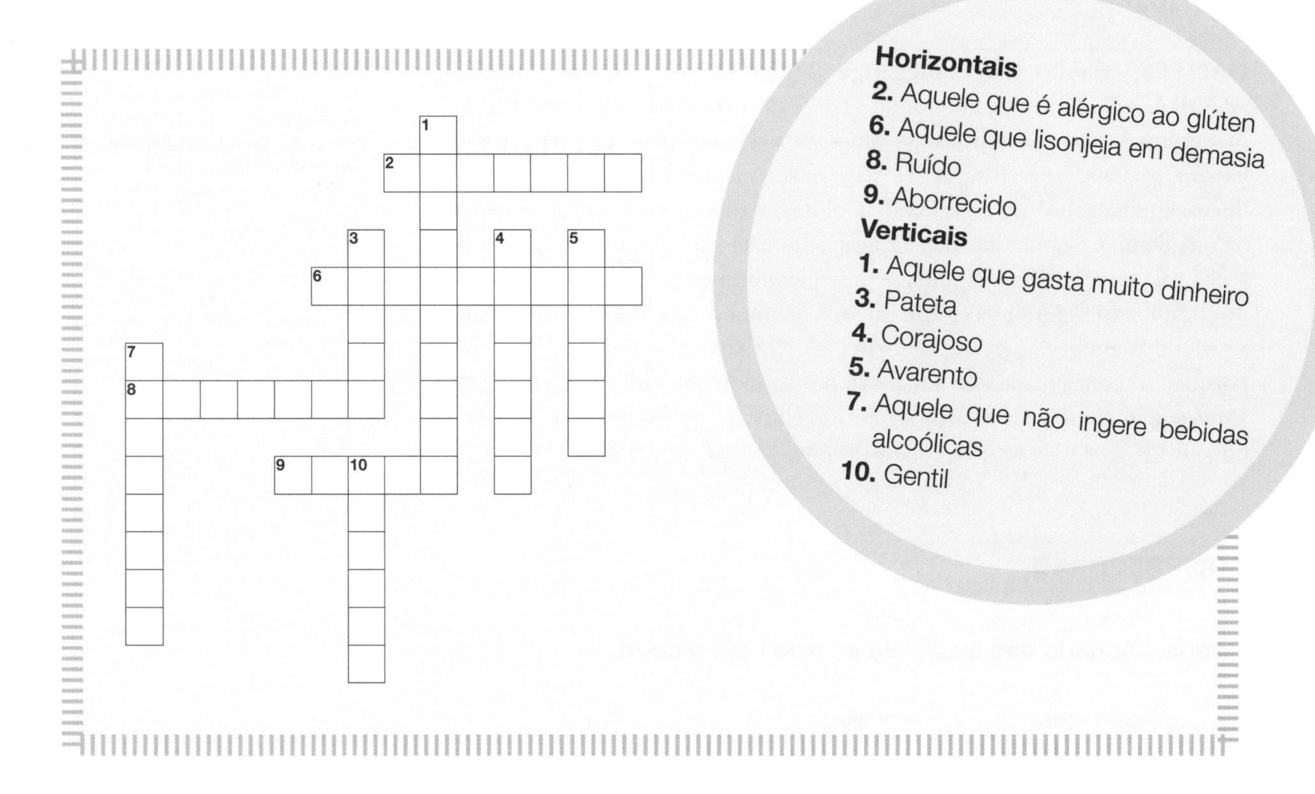

2. No texto aparece a expressão "anda daí". Há outras **expressões idiomáticas** com o verbo "andar". **Encontre na coluna B o significado das expressões da coluna A.**

A	B
a) Andar às aranhas	**1.** Andar muito à procura de alguma coisa
b) Andar às turras	**2.** Estar distraído
c) Andar seca e meca	**3.** Tentar conquistar alguém
d) Andar na lua	**4.** Não saber o que fazer; estar confuso
e) Andar à deriva	**5.** Discutir sem chegar a acordo
f) Andar na má vida	**6.** Andar a divertir-se sem fazer nada de útil
g) Andar atrás de	**7.** Levar uma vida de ilegalidade
h) Andar na boa vida	**8.** Não ter objetivos definidos

3. Analogias. Há uma relação lógica entre a primeira e a segunda palavras.
Descubra as relações lógicas em falta.

a) simpático	simpatia	**g) antipático**	______________
b) alguém	ninguém	**h) algum**	______________
c) ligar	desligar	**i) acender**	______________
d) sossego	sossegado	**j) barulho**	______________
e) frio	arrefecer	**k) quente**	______________
f) homem	rosto	**i) animal**	______________

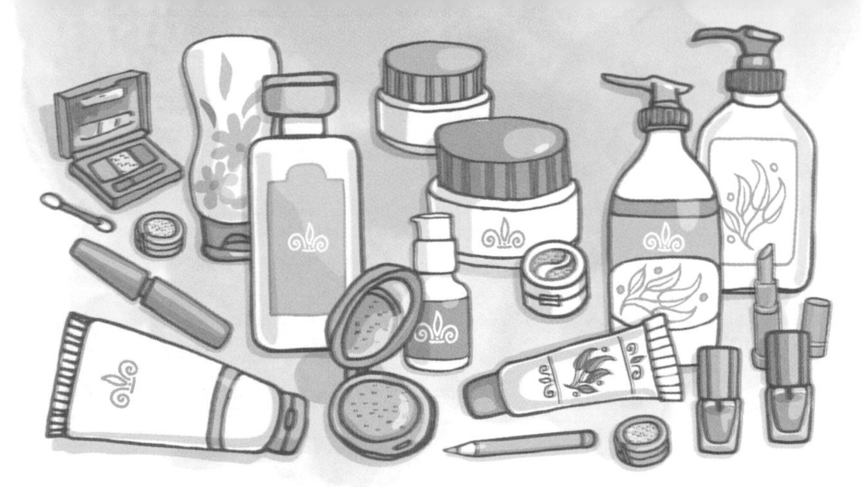

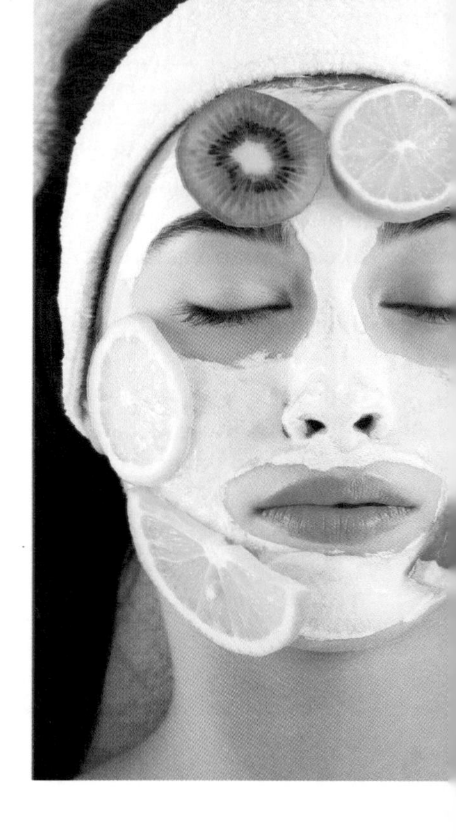

4. Escolha o verbo mais apropriado para o respetivo complemento.

a) entabular	**1.** efeito
b) tecer	**2.** uma dívida
c) surtir	**3.** um poema
d) arregalar	**4.** conversa
e) contrair	**5.** os olhos
f) recitar	**6.** conta
g) tomar	**7.** elogios

5. Construa uma frase em que utilize os verbos e o respetivo complemento do exercício anterior.

a) ____

b) ____

c) ____

d) ____

e) ____

f) ____

g) ____

GRAMÁTICA

1. Transforme a frase dada, começando como indicado e não alterando o sentido. Pode completá-la sempre que considerar necessário.

a) Está bem. Quem chegar tarde é um ovo podre.

Ela respondeu que ______________________________ e que ____
____.

b) Nem víamos o que é que tínhamos no prato, o que interessava era a conversa.

Embora nem ____
____.

c) Uma relação também é feita de não se ter paciência.

Ainda que ____
____.

d) O sonho de uma vida era ir para um hotel de luxo.

Apesar de ____
____.

e) Era suposto aprendermos o "despojamento" com a idade, mas a idade só nos ensinou que a idade dá trabalho…

É suposto que ____
____.

2. Complete as frases com os verbos no modo indicativo ou no modo conjuntivo.

a) ver

1. Se tu _________ a Maria, diz-lhe que amanhã temos um jantar com as nossas amigas.
2. Se tu _________ muita televisão todos os dias, é natural que não tenhas tempo para ler.

b) vir

1. No caso de vocês _________ ao jantar, por favor: deixem os telemóveis em casa.
2. Precisava de saber se ele também _________.

c) ir

1. Perguntou-me como é que eu _________ para o restaurante.
2. Respondi-lhe que não se preocupasse comigo, porque _________ como _________ demorava só dez minutos.

d) ser

1. Ultimamente os dias _________ muito cansativos.
2. Seria ótimo se amanhã já _________ sábado.

e) trazer

1. Lamentei que a Joana não _________ o namorado com ela. Parece que é um tipo simpático.
2. Se eu lhe _________ um presente, já lho teria dado. Não achas?

3. Conjunções. Complete as frases da coluna A com as da coluna B.

A	B
a) Quando eles entraram no restaurante,	**1.** eu vou telefonar para o restaurante.
b) Mal ele se sentou à mesa,	**2.** respondi-lhe imediatamente.
c) Sempre que nos encontramos,	**3.** ficaram surpreendidos por nos verem lá.
d) Enquanto vocês leem este artigo,	**4.** aconselho-te a não começares outro.
e) À medida que o tempo passa,	**5.** eles estão a ficar sem paciência para acampar.
f) Depois que soubemos da notícia,	**6.** ainda não fizeste outra coisa senão telefonar.
g) Assim que recebi o *e-mail*,	**7.** telefonámos-lhes a felicitá-los.
h) Até que tenhas terminado o livro,	**8.** começou logo a publicar no *Face*.
i) Desde que chegaste,	**9.** liga-me para te ir buscar ao aeroporto.
j) Logo que chegares,	**10.** ela está cheia de pressa por causa das crianças.

PARA COMENTAR

- Publicar no *Facebook* em que restaurante se está e o que se come é um hábito (bom ou mau…?) dos nossos dias.
- Hoje em dia as mulheres estão mais bem conservadas devido à variada gama de cosméticos. Mas os homens não lhes ficam atrás.
- Já não se pode viver sem agenda: eletrónica ou não.

Férias passadas com os avós?

Fazem bem e recomendam-se!

Os avós sentem-se rejuvenescidos e os netos vivem experiências diferentes, enquanto os pais ganham tempo para descansar ou namorar. Especialistas dizem que todos ganham com o cruzamento das gerações.

As primeiras férias de Leonor com os avós foram aos seis anos. Agora, com 12, é impensável passar um verão sem aquela semana "na casa de Peniche". Divide-se entre a praia e a piscina, vai ao mercado com a avó fazer as compras para o almoço, passeia com o avô de barco, pinta conchas e pedras, ouve histórias do "antigamente". E ainda encontra "os amigos de Peniche". "É muito fixe ir para lá. Existem regras, claro, mas eles são avós, dão mais mimos e deixam-me fazer mais coisas."

Quando surge o convite, alguns pais questionam-se se devem deixar os filhos ir de férias com os avós. Ou porque acham que são muito pequenos ou porque não sabem se aguentam as saudades.

E ainda há a ideia de que os avós os "estragam" com mimos. Por esta altura, é um tema que alimenta discussões nos fóruns *online*. Os dois especialistas ouvidos pelo *DN* – J. Morgado e Teresa P. Marques – são unânimes em afirmar que **a experiência é boa para avós, pais e netos**. E recomenda-se.

Não há uma idade ideal para as férias com os avós. "Depende da autonomia da criança e da experiência dos avós", defende J. Morgado. Não há dúvida de que os avós são bons cuidadores, acrescenta o especialista. "Mas há pais, mais obsessivos com a segurança, que acham que fazem sempre melhor do que os avós, mas também pensam isso em relação a todas as outras pessoas. Por isso, ganham mais ansiedade e ficam mais inseguros."

Geralmente, as férias com os avós implicam "fugir à rotina", pelo que "é sempre uma experiência nova". Contudo, destaca o psicólogo, "é preciso que os avós percebam que têm de adaptar a sua rotina à criança e criar hábitos consoante a sua idade. Não vão passar três horas num restaurante, por exemplo". Como não são cuidadores a tempo inteiro, diz J. Morgado, "tendem a facilitar na imposição de regras e limites. Mas **as férias com os avós só fazem é bem**, não vão estragar a educação dada pelos pais ao longo do ano".

Ansiedade dá lugar às saudades

Desafiada pelos avós, Matilde, de 10 anos, resolveu ir este ano, pela primeira vez, com eles para o Algarve, sem os irmãos. Normalmente, Maria, de 15 anos, e Tomás, de 13, também vão. Demorou alguns dias a tomar a decisão. Fez perguntas, analisou os prós e os contras e resolveu ir. A mãe partilhou a história no blogue. Dando-lhe o seguinte título: "A Matilde foi de férias... que saudades!". "Nós temos muitas saudades. Estamos sempre a olhar para o telefone para ver se ligam, mas eles até se esquecem", conta ao *DN*.

Além das saudades, há uma ligeira ansiedade, "mas nada de anormal". (...) "Custa um pouco mais passar a responsabilidade para os sogros". Mas todos ganham com a experiência. "**Os avós até se sentem mais novos**. Quanto aos netos, esse carinho diferente faz-lhes muito bem ao crescimento." Naturalmente, segundo a mãe

de Matilde " têm de ser figuras mais permissivas. Dão-lhes mais mimos, mas não deseducam". Sem esquecer que "também é bom para os pais".

Teresa P. Marques, psicóloga na área do comportamento infantil, reforça que "os pais ficam mais livres para namorar, sabem que os avós cuidam bem dos filhos, tal como cuidaram deles, e **todos ganham com a experiência**". Como têm mais tempo e paciência, refere a psicóloga, os avós "contam-lhes histórias e, quando vivem na província, proporcionam-lhes experiências que não têm nas cidades, como o contacto com os animais e as hortas".

Quem não sente nostalgia ao recordar os tempos em casa dos avós? "São experiências muito enriquecedoras. E para os avós é uma lufada de ar fresco", indica Teresa P. Marques. Contudo, ressalva, há regras que têm de ser cumpridas, nomeadamente no que diz respeito às horas de sono e à alimentação. "Desde que sejam asseguradas, é muito benéfico para as crianças." Quando são adolescentes, "os pais devem ainda instruir os avós quanto às regras para sair à noite, por exemplo". Não raras vezes, **as férias são também um encontro de gerações: avós, pais, netos**. "Desde que se entendam, é muito interessante a partilha de experiências entre as várias gerações", conclui a especialista.

▲ Texto adaptado, **Joana Capucho** *in Diário de Notícias*

GLOSSÁRIO
aguentar: aturar; tolerar; suportar
concha: invólucro calcário do corpo de certos moluscos
fixe: diz-se daquilo que agrada ou tem qualidades positivas
lufada: sopro forte
mimo: gesto ou condescendência generosa para com outro
permissivo: tolerante; indulgente
rotina: hábito de fazer alguma coisa sempre da mesma maneira

COMPREENSÃO

Explique o sentido das frases de acordo com o texto.

1. "Especialistas dizem que todos ganham com o cruzamento das gerações."

____

____

____

2. "[Os avós] têm de ser figuras mais permissivas."

____

____

____

3. "E para os avós é uma lufada de ar fresco."

____

____

____

VOCABULÁRIO

1. Palavras Cruzadas. Escolha a palavra mais adequada.

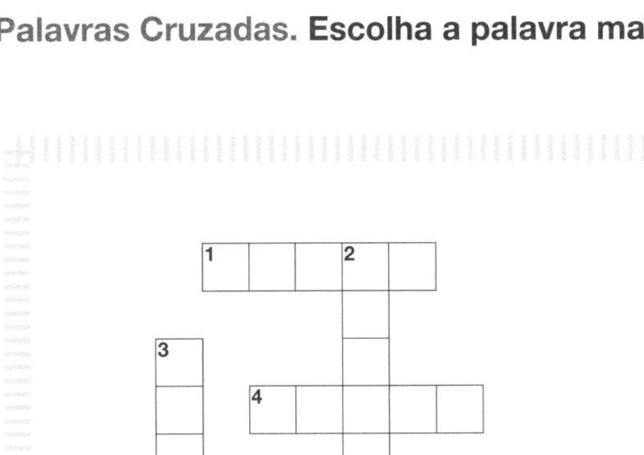

Horizontais
1. Pai do marido
4. Filho dos tios
5. Relaxar
8. Pai do pai
9. Há muito tempo

Verticais
2. Hábito de fazer sempre o mesmo
3. Olhar por
6. Mãe da mulher
7. Gostar muito de alguém

2. No texto aparece a expressão "os amigos de Peniche". Esta também é uma das muitas **expressões idiomáticas** na língua portuguesa.
Encontre na coluna B o significado das expressões da coluna A.

A	B
a) Amigos de Peniche	**1.** Insistir
b) Abrir o coração	**2.** Estar aborrecido
c) Agarrar com unhas e dentes	**3.** Fazer desaparecer
d) Bater na mesma tecla	**4.** Amigo desleal que não merece confiança
e) Chatear o Camões	**5.** Confundir factos ou histórias
f) Estar com os azeites	**6.** Ofender-se
g) Levar a peito	**7.** Desabafar; declarar-se sinceramente
h) Paninhos quentes	**8.** Não desistir de algo ou de alguém facilmente
i) Riscar do mapa	**9.** Ir incomodar outra pessoa
j) Trocar alhos por bugalhos	**10.** Com todos os cuidados

3. Forme provérbios juntando um elemento de cada coluna.

A	B
a) Quem tem telhado de vidro	**1.** é aquele que não quer ver.
b) O pior cego	**2.** acrescenta um ponto.
c) Quando um burro fala,	**3.** os outros baixam as orelhas.
d) A vingança é um prato	**4.** de todos os vícios.
e) Quem conta um conto,	**5.** que se serve frio.
f) Quem quer vai,	**6.** veem mais do que um só.
g) A ociosidade é a mãe	**7.** não atira pedras ao do vizinho.
h) Dois olhos	**8.** quem não quer manda.

4. Explique o sentido dos provérbios do exercício anterior.

a) ____

____

b) ____

____

c) ____

____

d) ____

____

e) ____

____

f) ____

____

g) ____

____

h) ____

____

5. Complete o quadro.

Nome	Verbo	Adjetivo
o cruzamento		
	mimar	
	unanimar	
a ansiedade		
		habitual
o desafio		
		rejuvenescedor
a ideia		
	fugir	
	tender	

GRAMÁTICA

1. Complete o texto com a preposição mais adequada. Faça contração com o artigo quando necessário.

para por em com sem de a até

Avós do século XXI

Segundo as estatísticas, há cada vez mais portugueses ________ ultrapassarem, e ________ muito tempo, a barreira psicológica ________ os 65 anos, a que muitos ainda chamam "terceira idade". Mas parece que muitos deles não ligam "pevide" a esta designação e sentem-se ________ dinâmica ________ cuidarem dos netos.

Como a presença ________ os avós é muito mais do que uma questão demográfica, eles são a espinha dorsal ________ a sociedade portuguesa. ________ o apoio ________ os avós, inúmeras famílias não conseguiriam, pura e simplesmente, funcionar. Muitos avós têm a missão ________ acompanhar os netos ________ a escola, ir buscá-los (estamos a referir-nos ________ os mais pequeninos...), dar-lhes o lanche e acompanhá-los ________ os TPC. Tudo isto porque os pais veem-se obrigados a cumprir horários mais exigentes e pesados e precisam ________ este imprescindível apoio familiar.

________ outro lado, muitos deles dedicam-se ________ atividades versáteis que gostam ________ partilhar ________ os netos sempre que estes estão ________ férias ou, ________ mesmo, ________ o fim ________ semana. Uns gostam ________ os levar a viajar ________ o país (ou até mesmo ________ fora); outros iniciam-nos ________ atividades desportivas (às vezes um pouco radicais...); ainda há os que gostam ________ os levar a espetáculos ou visitar museus.

Os avós são uns bons companheiros ________ o crescimento saudável ________ as crianças que amanhã serão adultos.

2. Transforme a frase dada, começando como indicado e não alterando o sentido. Pode completá-la sempre que considerar necessário.

a) Anteontem os avós foram ao concerto com os netos adolescentes.

Ela disse que ____.

b) Como não têm muito tempo disponível, não podem fazer a viagem que tinham planeado.

Se eles ____

____.

c) É necessário proceder de modo sensato.

É necessário que nós ____.

d) Amanhã, partiremos para a serra às 11 horas.

Amanhã por estas horas já ____.

e) Com mais tempo, teríamos conhecido melhor a cidade.

Se ____.

3. Conjunções. Complete as frases da coluna A com as da coluna B.

A	B
a) Se eles forem fazer *surf*,	1. podem aproveitar para ir ao castelo.
b) Caso o seu filho não tenha aulas,	2. a fim de que vos possa compreender.
c) Desde que tenham tempo,	3. devem levar o equipamento adequado.
d) Falem mais devagar	4. vamos ao evento.
e) Para que tivesses passado no teste	5. já não aprecio música barulhenta.
f) Dado que recebemos o convite,	6. inscreva-o em atividades desportivas.
g) Conquanto a casa seja grande,	7. porquanto o assunto ultrapassa a minha competência.
h) Não posso tomar uma decisão	8. deverias ter estudado mais.
i) À medida que o tempo passa,	9. exceto se forem ver um filme de terror.
j) Vou com vocês ao cinema,	10. ela nunca convida a família para lá ficar.

PARA COMENTAR

- Os avós são as melhores "infraestruturas" dos netos.
- Mimar não é deseducar.
- Vantagens e desvantagens de passar muito tempo com os avós.

Capoeira

Capoeira é uma **expressão cultural brasileira** que mistura arte marcial, desporto, música e cultura popular.

A origem remonta à época da escravatura no Brasil, século XVI. Muitos negros foram levados de África para o Brasil a fim de trabalharem nas fazendas de café, nas roças ou nas casas dos senhores. Muitos destes escravos eram de Angola, também antiga colónia portuguesa. Sabe-se que os angolanos gostavam de fazer danças ao som de músicas muito ritmadas. Ao chegarem ao Brasil, estes escravos africanos aperceberam-se da necessidade de desenvolverem formas de proteção contra a violência e repressão por parte dos colonizadores brasileiros.

E foi assim que eles começaram a praticar capoeira durante os intervalos do trabalho, porque era uma forma de treinarem não só o corpo, mas também a mente para eventuais situações de combate.

Os donos proibiam qualquer que fosse o tipo de arte marcial praticada, mas os escravos persistiram ainda que de uma maneira encoberta, como se se tratasse de uma inocente dança recreativa.

Mais tarde, no século XVII, alguns escravos conseguiram fugir e formaram territórios escondidos, mas governados por eles próprios, os denominados **quilombos**. Alguns destes

quilombos, que no início eram assentamentos simples, evoluíram com o tempo e foram atraindo mais escravos em fuga e até mesmo indígenas.

Mesmo depois da abolição da escravatura, em 1888, a proibição de praticar capoeira manteve-se. Era vista como uma prática violenta e subversiva. Os guardas tinham ordens para prender os capoeiristas que a praticavam, mas eles não só continuavam a praticá-la, como a aperfeiçoavam com o tempo. E assim continuou, apesar de proibida, até 1930, quando um importante capoeirista brasileiro, **Mestre Bimba**, teve uma enorme importância no desenvolvimento da mesma. Ao perceber que esta arte estava a perder o seu valor cultural e a enfraquecer, enquanto luta, misturou elementos da **capoeira tradicional** com o **batuque** (luta do nordeste brasileiro extinta com o passar dos anos), criando assim um novo estilo de luta que podia ser praticada por qualquer um, com movimentos mais rápidos e acompanhada de música. Desta forma, ele conseguiu que esta expressão cultural conquistasse todas as classes da sociedade.

Foi Mestre Bimba, um exímio lutador e, acima de tudo, um grande mestre, quem apresentou **a luta** ao então presidente **Getúlio Vargas**. Tanto quanto se sabe, o presidente gostou de tal forma desta arte que a transformou em desporto nacional brasileiro. Convidou um grupo de capoeira para se apresentar oficialmente no Palácio do Catete, liberalizando, assim, a capoeira.

Instrumentos

Uma característica que distingue a capoeira da maioria das outras artes marciais é a sua musicalidade. Quem a pratica também aprende a tocar os instrumentos típicos e a cantar.

São vários os instrumentos que fazem parte desta arte:

GLOSSÁRIO
alertar: informar; avisar
assentamento: porção de terra para cultivar
exímio: excelente; muito hábil
extinto: terminado; acabado
fazenda: propriedade rural
indígena: pessoa natural da região onde habita
inocente: inofensivo
recreativo: diz-se daquilo que distrai
roça: terreno onde a sementeira é plantada entre o mato; casa de campo um pouco luxuosa e original
subversivo: revolucionário

Berimbau

É constituído por um arco e uma cabaça e toca-se com uma baqueta, produzindo sons através da vibração do arco. Este é o instrumento principal da Roda, que vai definir o ritmo da música e também do combate de capoeira.

Originalmente o berimbau tinha a função de alertar os combatentes para chegadas inoportunas.

Agogô

Este instrumento também foi introduzido no Brasil pelos africanos. O nome agogô pertence à língua nagô e significa "sino".

É um instrumento de ferro e é tocado com o auxílio de uma vara. Atualmente, é o instrumento de percussão mais agudo que se usa na capoeira.

Reco-reco

Também é um instrumento de percussão, de origem afro-brasileira, composto por um tubo de bambu com golpes transversais num dos lados. Sobre estes golpes faz-se deslizar uma varinha de modo a produzir o som.

Atabaque

É um instrumento musical de percussão afro-brasileiro. É constituído por um tambor cilíndrico ou ligeiramente cónico, com uma das bocas cobertas de couro de boi, veado ou bode. É tocado com as mãos, com duas baquetas ou, por vezes, com uma mão e uma baqueta.

Pandeiro

É um tipo de tambor, com pele fina e, embora não tenha caixa de ressonância, geralmente tem um som mais agudo do que o atabaque. Tem uma forma circular e ao redor tem umas platinelas duplas de metal. O som é produzido com o bater da mão ou dos dedos na membrana.

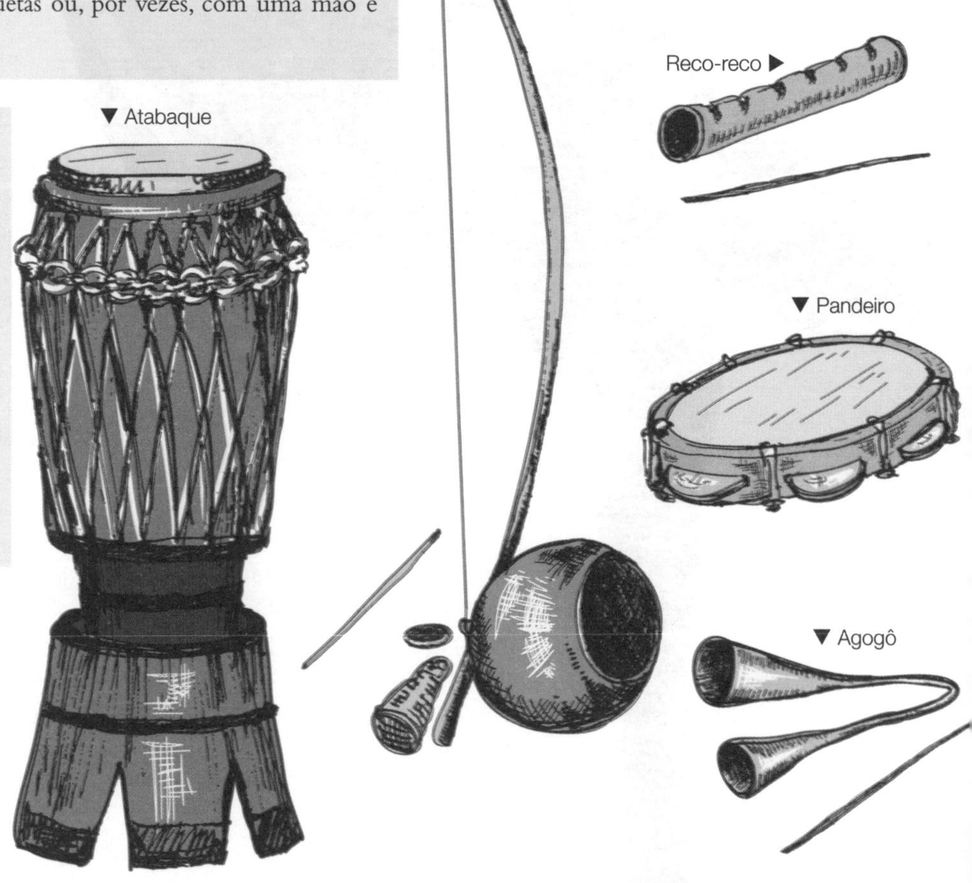

COMPREENSÃO

Explique o sentido das frases de acordo com o texto.

1. "(...) era uma forma de treinarem não só o corpo, mas também a mente (...)."

____

____

2. "(...) os escravos persistiram, ainda que de uma maneira encoberta, como se se tratasse de uma inocente dança recreativa."

____

____

3. "Era vista como uma prática violenta e subversiva."

____

____

4. "(...) ele conseguiu que esta expressão cultural conquistasse todas as classes da sociedade."

____

____

VOCABULÁRIO

1. Complete o texto com as palavras dadas.

jogo	**algum**	**berimbau**
círculo	**aplicar**	**treino**
tocada	**batendo**	**entre**
musical	**inicia**	**berimbau**

Roda de capoeira

A roda de capoeira é um ________ de capoeiristas com uma bateria ________ em que a capoeira é jogada, ________ e cantada. A roda serve tanto para o ________, divertimento e espetáculo, quanto para que os capoeiristas possam ________ o que aprenderam durante o ________. Os capoeiristas colocam-se na roda cantando e ________ palmas ao ritmo do ________, ao mesmo tempo que dois capoeiristas jogam capoeira. O jogo ________ estes dois capoeiristas pode terminar quando o tocador de ________ o determinar ou quando ________ outro capoeirista da roda "compra o jogo", ou seja, entra no jogo dos dois primeiros e ________ um novo jogo com um deles.

2. Expressões idiomáticas no português do Brasil. **Encontre na coluna B o significado das expressões da coluna A.**

A	B
a) Pôr minhoca na cabeça	**1.** Morrer
b) Abotoar o paletó	**2.** Descarado; sem-vergonha
c) Arrumar sarna para se coçar	**3.** Fazer algo com muita intensidade (geralmente em sentido positivo)
d) Botar pra quebrar	**4.** Estar distraído/indeciso
e) Cara de pau	**5.** Pensar sobre problemas inexistentes
f) Levar um fora	**6.** Conversar informalmente
g) Andar feito barata tonta	**7.** Cometer deslize
h) Acertar na mosca	**8.** Procurar problemas
i) Bater papo	**9.** Acertar com precisão
j) Pisar na bola	**10.** Ser desprezado

3. Construa uma frase usando cada uma das expressões idiomáticas do exercício anterior.

a) ____
____

b) ____
____

c) ____
____

d) ____
____

e) ____
____

f) ____
____

g) ____
____

h) ____
____

i) ____
____

j) ____
____

4. **Abaixo, estão listadas algumas diferenças lexicais entre o português europeu e o português do Brasil.**

Português europeu		Português do Brasil
a) agrafador	→	**grampeador**
b) autocarro	→	**ônibus**
c) boleia	→	**carona**
d) casa de banho	→	**banheiro**
e) fato de banho	→	**maiô**
f) peão	→	**pedestre**
g) penso rápido	→	**esparadrapo** ou **bandeide**
h) relva	→	**grama**
i) sumo	→	**suco**
j) telemóvel	→	**celular**

a) Escreva uma frase para cada uma das palavras no português do Brasil.

Grampeador: ____

____

Ônibus: ____

____

Carona: ____

____

Banheiro: ____

____

Maiô: ____

____

Pedestre: ____

____

Esparadrapo/bandeide: ____

____

Grama: ____

____

Suco: ____

____

Celular: ____

____

5. Palavras Cruzadas. **Encontre a palavra mais adequada no português do Brasil.**

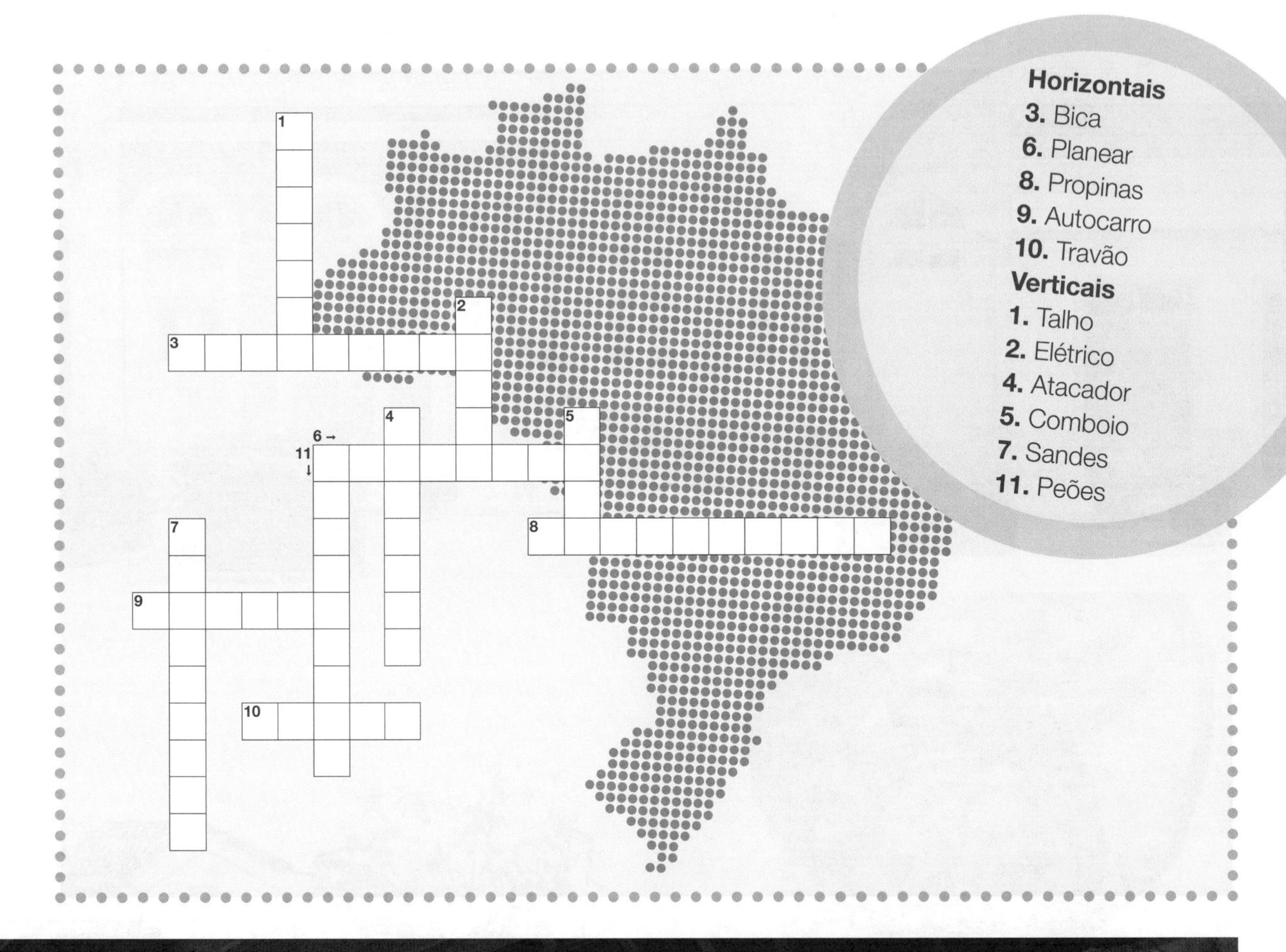

GRAMÁTICA

1. Transforme a frase dada, começando como indicado e não alterando o sentido. Pode completá-la sempre que considerar necessário.

a) Capoeira é uma expressão cultural brasileira que mistura arte marcial, desporto, música e cultura popular.

Ele disse que ____

____.

b) Ao chegarem ao Brasil, estes escravos africanos aperceberam-se da necessidade de desenvolverem formas de proteção contra a violência e repressão por parte dos colonizadores brasileiros.

Quando ____

____.

c) Os donos proibiam qualquer que fosse o tipo de arte marcial praticada, mas os escravos persistiram, ainda que de uma maneira encoberta, como se se tratasse de uma inocente dança recreativa.

Embora os donos ____

____.

d) A capoeira era vista como uma prática violenta e subversiva.

Os donos ____

____.

e) Getúlio Vargas convidou um grupo de capoeira para se apresentar oficialmente no Palácio do Catete.

Um grupo de capoeira ____

____.

2. Complete com: porque / por que, enfim / em fim, demais / de mais, porquanto / por quanto.

a) ________, aquilo que quer dizer é que não gosta de jogar capoeira. Não é verdade?

b) ________ comprou este berimbau?

c) Tenham cuidado, porque vocês jogam ________.

d) Não acho que seja nada ________, não se preocupe com isso.

e) Fique descansado, ________ ela vai telefonar logo que chegar.

f) Eles reformaram-se porque já estavam ________ de carreira e tinham atingido a idade.

g) A equipa não atingiu os objetivos, ________ não houve boas condições de trabalho.

h) ________ razão não veio ao treino de ontem?

3. Locuções finais. Forme frases juntando um elemento de cada coluna.

A	B
a) Despache-se,	**1.** para que nos sintamos melhor.
b) A fim de que fale bem português,	**2.** se sente tão desmotivado?
c) Tem de comprar um bom dicionário,	**3.** para que ainda apanhe o autocarro.
d) Temos de procurar um desporto	**4.** para que o ouçamos.
e) Para que ela possa viajar nas próximas férias,	**5.** para que se possa pedir o visto.
f) Tome este medicamento,	**6.** a fim de que possamos resolver o seu caso.
g) Por que motivo	**7.** precisa de estudar mais.
h) Tem de voltar amanhã,	**8.** para que lhe passem essas dores.
i) Não se esqueçam do passaporte,	**9.** tem de trabalhar bastante.
j) Por favor, fale mais alto,	**10.** para que adquira mais léxico.

PARA COMENTAR

- Para si, a capoeira é uma arte marcial ou uma expressão musical?
- Que tipos de desporto considera que estão mais interligados com a mente?
- Será que ainda existem diferentes tipos de escravidão nos dias de hoje?

Brasil,
o rei do ritmo e dos espetáculos

Para muitos, o Brasil é sinónimo de sol, praia e mar. Associa-se o Brasil a São Paulo e Rio de Janeiro, a Ipanema e Copacabana. Para muitos, o Brasil é Carnaval. Contudo, é muito mais do que isso: é um país vasto quer na dimensão geográfica quer social e cultural. Cada região tem o seu encanto e as suas tradições, muitas delas são comuns em alguns aspetos, por exemplo, a alegria do povo brasileiro que se reflete, tão bem, na criatividade que os caracteriza.

São **reis** no futebol, no teatro, nas telenovelas, na música, na dança, no ritmo...

Se, no início, o **futebol** era apenas praticado por uma elite, agora é por todos aqueles (e são muitos...) que têm talento e preparação física para este desporto.

Mas voltemos atrás no tempo, recuando até 1895, quando o paulista Charles Miller, após uma viagem pela Inglaterra, levou duas bolas de futebol para o Brasil e começou a converter a comunidade de expatriados britânicos (que viviam em São Paulo) de jogadores de críquete em jogadores de futebol. Chegou a criar um clube de futebol, mas como era uma certa aristocracia quem dominava, a prática deste desporto restringia-se a uma elite branca. As classes sociais menos favorecidas e até mesmo os negros só podiam assistir. Apenas mais tarde, em 1920, é que o futebol se massificou com a aceitação dos negros neste desporto.

Durante o governo de Getúlio Vargas foi feito um grande esforço para impulsionar o futebol no país. Trinta anos mais tarde, e ainda durante o governo de Vargas, foi construído o Maracanã.

Mas a **música** tem uma relação forte entre os brasileiros, onde quer que estejam. Quem não gosta de **bossa nova**? Falámos com alguns brasileiros e todos foram unânimes na resposta "Opa! É um ritmo bacana."

A história da bossa nova é a história de uma geração de jovens artistas brasileiros, na década de cinquenta, que acreditava no futuro e conseguia realizar o sonho de levar a música aos quatro cantos do mundo. As primeiras manifestações deste tipo de música ocorreram na zona sul do Rio de Janeiro.

Cantores, músicos, poetas, intelectuais e amantes do *jazz* americano participaram no nascimento deste género musical, que juntou a alegria do ritmo brasileiro com a harmonia do *jazz* americano.

Muitos nomes ficaram ligados à bossa nova: António Carlos Jobim, Vinicius de Moraes, João Gilberto, Nara Leão, Durval Ferreira, Elizeth Cardoso e tantos outros.

Nos anos sessenta, houve dois factos que marcaram a consolidação da bossa nova não só no Brasil, mas também no mundo: primeiro foram os espetáculos na Faculdade de Arquitetura e na PUC (Pontifícia Universidade Católica); depois seguiu-se o *show* no Carnegie Hall e com ele a explosão do ritmo brasileiro pelo mundo.

Mas como é que se pode caracterizar este género musical? Esta é a pergunta que alguns desconhecedores fazem. Pois bem, caracteriza-se por uma maior

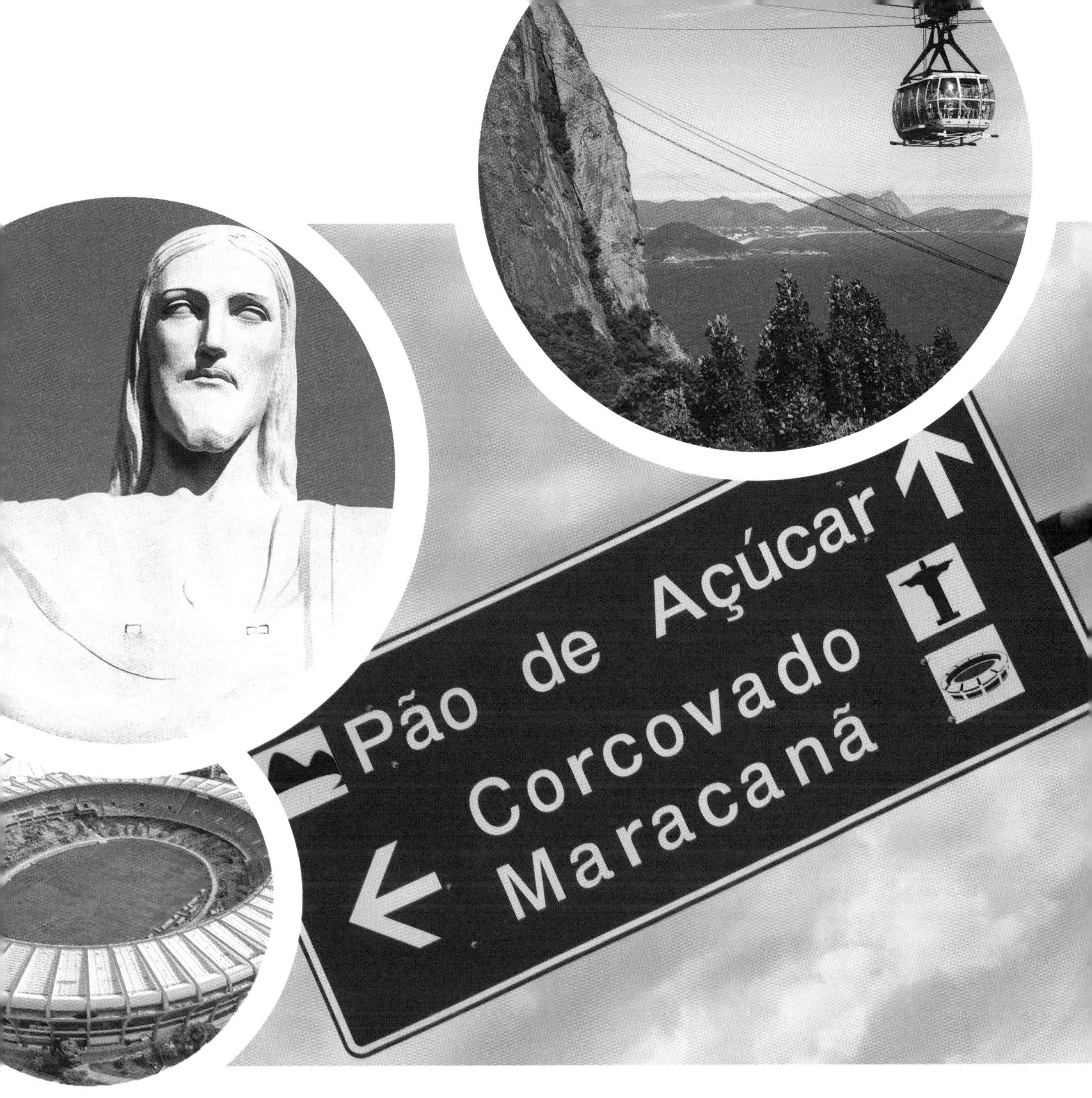

integração entre melodia, harmonia e ritmo, com poemas mais elaborados e ligados ao quotidiano, valorizando as pausas e o silêncio, cantando de modo mais despojado e intimista do estilo que vigorava até então.

Não só a bossa nova tem um ritmo intrinsecamente ligado ao Brasil – existe também o **samba**.

O samba desenvolveu-se como género musical urbano no Rio de Janeiro, nas primeiras décadas do século XX. Na origem, era uma forma de dança, acompanhada de pequenas frases melódicas e refrões de criação anónima. Foram os negros que migraram da Bahia – na segunda metade do século XIX – que o divulgaram.

Quer o tipo de dança quer o género musical têm raiz nos ritmos e melodias africanas, como o **lundum** e o **batuque**. Em meados do século XIX, a palavra samba era usada para definir diferentes tipos de música introduzidos pelos escravos africanos, sempre acompanhados por diversos tipos de batuque, mas que assumiam características próprias em cada Estado do Brasil. Esta diversidade de características baseava-se nas diferenças de cada tribo de escravos, assim como na peculiaridade de cada região em que se estabeleceram.

Tradicionalmente, a música é composta pelo acompanhamento de cavaquinho, vários tipos de violão e

GLOSSÁRIO
converter: mudar; transformar
elite: referente ao que existe de melhor numa comunidade, sociedade ou grupo
estereótipos: opinião preconcebida
expatriados: expulsos da pátria
imensurável: que não se pode medir
massificar: influenciar os indivíduos no sentido de transformar e uniformizar comportamentos
peculiar: próprio; particular; invulgar
restringir: limitar

diferentes instrumentos de percussão. Por influência das orquestras americanas, em voga depois da II Guerra Mundial, também passaram a ser utilizados o trombone e o trompete e, por influência do choro, a flauta e o clarinete.

Ao longo dos anos, os ritmos latinos e americanos têm influenciado o estilo do samba. O momento alto desta influência surgiu entre os compositores das escolas de samba dos morros cariocas, não propriamente ligados à dança, mas sob a forma de improvisações cantadas, individualmente, alternadas com estribilhos conhecidos e entoados pela assistência.

Hoje em dia, não podemos dissociar o samba do Carnaval brasileiro. Estão interligados.

Quando se fala de espetáculos brasileiros, tendemos a pensar de imediato no **Carnaval**. Não há dúvida de que este é o espetáculo que movimenta muita gente – além dos participantes, há um número imensurável de pessoas que se deslocam para ver os desfiles. É um espetáculo que, além de alegre e colorido, tem bastante impacto na economia do país.

Mas não só o Carnaval faz parte da "indústria" dos espetáculos brasileiros. Todos nós apreciamos – de uma maneira ou de outra, com mais ou menos assiduidade – as **telenovelas**.

Este é um espetáculo com largos anos de produção e se, por um lado, é bem visto por uns, que o consideram um produto de entretenimento bem conseguido, há outras pessoas que veem na telenovela a alienação da população e a ilustração do Brasil como um lugar de estereótipos e de caricaturas. Concordando ou não, há que admitir que a representação dos atores é bastante autêntica e, por conseguinte, tem feito escola. Por outro lado, as telenovelas brasileiras têm abordado temáticas essenciais da sociedade brasileira, além de terem passado para o ecrã obras literárias que acabaram por chegar mais perto de algum público, por exemplo, o caso da obra escrita por Jorge Amado *Gabriela, Cravo e Canela* ou *Dona Flor e Seus Dois Maridos*, entre outras.

Talvez por tudo isto, que dantes era visto numa perspetiva negativa e preconceituosa, tenha ganho novos contornos, e atualmente têm sido feitas diversas pesquisas (até em meios académicos) com o objetivo de estudar a importância e a influência das telenovelas na sociedade brasileira.

Resta acrescentar que as telenovelas brasileiras provêm das radionovelas de grande sucesso dos anos quarenta e cinquenta. Com o aparecimento e o crescimento de um novo meio de comunicação no país – a televisão – as radionovelas entraram em decadência, dando lugar às telenovelas. Quando surgiram, eram transmitidas ao vivo em dois dias da semana. Quem sabe se não é por este motivo que ainda hoje os atores brasileiros têm grande à-vontade a representar em palco, isto é, no teatro, onde são exímios.

COMPREENSÃO

Explique o sentido das frases de acordo com o texto.

1. "Brasil, o rei do ritmo e dos espetáculos."

____

____

2. "(...) começou a converter a comunidade de expatriados britânicos (...) de jogadores de críquete em jogadores de futebol."

____

____

____

3. "Apenas mais tarde, em 1920, é que o futebol se massificou com a aceitação dos negros neste desporto."

____

____

4. "Esta diversidade de características baseava-se nas diferenças de cada tribo de escravos, assim como na peculiaridade de cada região em que se estabeleceram."

____

____

5. "[O Carnaval] tem bastante impacto na economia do país."

____

____

6. "(...) há outras pessoas que veem na telenovela a alienação da população (...)."

____

____

Gabriela

Cravo e canela

VOCABULÁRIO

1. Complete o texto com as palavras dadas.

sentimental	surgiu	reunia	salões
violão	chorosa	estilo	tarde
palavra	apenas	origem	colonial

O Choro brasileiro

O Choro ________ no Rio de Janeiro em 1870 e teve na sua ________ a fusão de ritmos europeus com ritmos afro-brasileiros. Entre outros instrumentos, eram utilizados o ________, a flauta e o cavaquinho, que davam à música um tom ________, melancólico e "choroso". O nome deste ________ musical parece ter derivado da ________ "xolo", que era um tipo de baile que os escravos organizavam na época ________. Mas também há quem defenda que o nome se deve à maneira ________ com que os músicos suavizavam certos ritmos da sua época. No início, era ________ um grupo de instrumentistas que aos sábados e domingos se ________ na casa de um deles para fazer música. A partir de 1880, o Choro popularizou-se nos ________ de dança e nos subúrbios cariocas. Mais ________, já no século XX, começou a ser cantado, deixando de ser apenas instrumental.

2. Expressões idiomáticas no português do Brasil. Encontre na coluna B o significado das expressões da coluna A.

A	B
a) Armar um barraco	**1.** Resolver um problema complicado
b) Segurar a vela	**2.** Manter um segredo
c) Pé na jaca	**3.** Atrapalhar o namoro
d) Descascar o abacaxi	**4.** Tomar consciência
e) Quebrar o galho	**5.** Conversa íntima
f) Boca de siri	**6.** Criar confusão em público
g) Cair na real	**7.** Quando alguém se dá conta de algo
h) Conversa de pé de ouvido	**8.** Improvisar; ajudar a resolver um problema
i) Cair a ficha	**9.** Agradar
j) Fazer a cabeça	**10.** Cometer excessos

3. Construa uma frase usando cada uma das expressões idiomáticas do exercício anterior.

a) ____
____

b) ____
____

c) ____
____

d) ____
____

e) ____
____

f) ____
____

g) ____
____

h) ____
____

i) ____
____

j) ____
____

4. Abaixo, estão listadas algumas diferenças lexicais entre o português europeu e o português do Brasil.

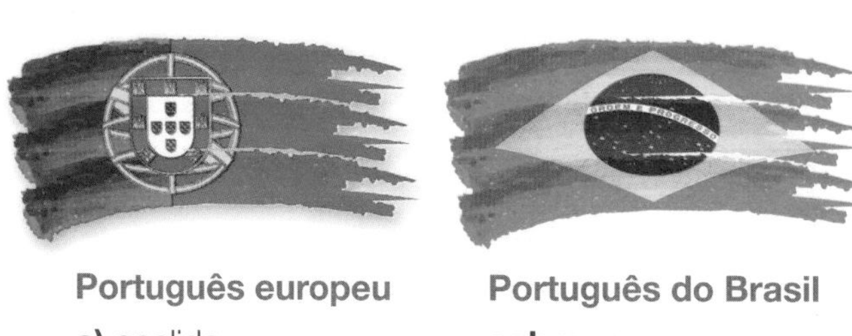

Português europeu		Português do Brasil
a) apelido	→	**sobrenome**
b) bilhete	→	**ingresso**
c) camisa de dormir	→	**camisola**
d) camisola	→	**blusa de lã**
e) dormitar	→	**cochilar**
f) falador	→	**boca mole**
g) fita-cola	→	**durex**
h) gelado	→	**sorvete**
i) guarda-costas	→	**capanga**
j) simpático	→	**bacano**

a) Escreva uma frase para cada uma das palavras no português do Brasil.

Sobrenome: ____________________
____

Ingresso: ____________________
____

Camisola: ____________________
____

Blusa de lã: ____________________
____

Cochilar: ____________________
____

Boca mole: ____________________
____

Durex: ____________________
____

Sorvete: ____________________
____

Capanga: ____________________
____

Bacano: ____________________
____

5. **Palavras com a mesma raiz etimológica. Escreva duas palavras da mesma família das seguintes.**

a) mar ______________ ______________

b) criatividade ______________ ______________

c) aristocracia ______________ ______________

d) entretenimento ______________ ______________

e) improvisação ______________ ______________

f) dimensão ______________ ______________

g) sonho ______________ ______________

h) desfile ______________ ______________

i) despojado ______________ ______________

j) assistência ______________ ______________

GRAMÁTICA

1. **Português do Brasil. Transforme as frases usando o gerúndio.**

a) Ele estava a ser observado pelos amigos.

____

b) Andei a fazer um inquérito sobre o Carnaval.

____

c) Depois do desfile, a Neusa vinha a arrastar os pés de cansaço.

____

d) Estavam todos a dormir quando eu entrei.

____

e) Eles iam a cantar e a dançar pela rua quando encontraram a Polícia.

____

f) Ela continua a escrever para novelas.

____

g) Quando você me vir a dormir frente à televisão, não me acorde.

____

h) Você está a perguntar isso a quem?

____

2. "Resta acrescentar que as telenovelas brasileiras provêm das radionovelas de grande sucesso (...)."
Há outros verbos derivados de "vir": **advir / convir / intervir / provir.**
Escolha o verbo mais apropriado e conjugue-o corretamente.

a) Não me parece que lhe ______________ passar o carnaval na Bahia este ano.

b) Antes de eu entrar na sala de reuniões, eles já ______________ sobre o assunto que tínhamos pendente.

c) Mesmo ______________ de uma família nobre, gosta de participar nestas festas populares.

d) O cansaço que ela sente ______________ de tantas noites sem dormir.

e) Lamentamos que não te ______________ assistir ao desfile na semana passada.

f) Para nós ______________ no debate, temos de preparar bem o tema.

g) Tudo o que ______________ do investimento feito, é do nosso agrado.

h) Todos nós sabemos que o Carnaval ______________ do Brasil!

3. Complete o texto com a preposição mais adequada. Faça contração com o artigo quando necessário.

por **de** **em** **com** **a** **contra**

História do Carnaval no Brasil

A história do Carnaval brasileiro teve início ________ o período colonial. Uma ________ as primeiras manifestações carnavalescas foi o Entrudo, que era uma festa ________ origem portuguesa e praticada ________ os escravos na colónia. Eles saiam pelas ruas, ________ os rostos pintados, atirando farinha e bolinhas de água de cheiro às pessoas. Mas… nem sempre eram cheirosas! Ainda que o Entrudo fosse uma festa bastante popular, também era considerada como uma prática ofensiva e violenta, dado que as pessoas eram atingidas ________ objetos diversos. Este era o motivo ________ o qual as famílias mais abastadas ficavam ________ casa nessa altura. Contudo, estas famílias também tinham os seus divertimentos: as moças jovens desta elite ficavam ________ as janelas a atirar água ________ os transeuntes.

Em meados do século XIX, a prática do Entrudo ________ o Rio de Janeiro começou a ser criminalizada, após uma campanha ________ esta manifestação popular e que foi levada a cabo ________ a imprensa. Enquanto isto, a elite do Império criava os bailes de Carnaval ________ clubes e teatros. Foi esta mesma elite do Rio de Janeiro que veio a criar as chamadas sociedades, as quais começaram a desfilar ________ as ruas da cidade.

Mas as camadas populares não desistiram ________ as suas práticas carnavalescas. No final ________ o século XIX procuraram uma forma de se adaptarem ________ as tentativas de disciplina imposta ________ a Polícia. Criaram os cordões (incluíam a utilização da estética das procissões religiosas com manifestações populares, como a capoeira e os zés-pereiras que tocavam grandes bombos) e os ranchos (cortejos praticados principalmente ________ as pessoas do campo).

Ainda ________ o século XIX surgiram as marchinhas de Carnaval, ou Chiquinha Gonzaga, como eram mais conhecidas.

Na Bahia, os primeiros afoxés (cortejo de rua durante o Carnaval) surgiram nos finais do século XIX e princípio do século XX, ________ o objetivo ________ relembrar as tradições culturais africanas. Também ________ o Recife passou a ser praticado o frevo (ritmo musical e dança) e o maracatu (ritmo musical, dança e ritual de sincretismo religioso cristão com as crenças africanas) ________ as ruas de Olinda.

Na década de vinte apareceram as escolas de samba, as quais eram o desenvolvimento ________ os cordões e ranchos.

A partir dos anos sessenta, as escolas de samba e o carnaval carioca passaram ________ tornar-se ________ uma importante atividade comercial.

PARA COMENTAR

- Só alguns nascem com a capacidade de ter ritmo.
- As telenovelas, quer sejam brasileiras ou não, só servem para alienar o povo.
- Só os brasileiros sabem dançar o samba.

Espelho,
espelho meu...

Existe no mundo alguém *mais belo* do que eu?

O Brasil é considerado o **campeão das cirurgias plásticas**, o que causou um acréscimo lexical: *lipoescultura*, *abdominoplastia* e *rinoplastia*, entre outras, são técnicas de cirurgia plástica que passaram a fazer parte do vocabulário da maioria dos brasileiros, independentemente da classe social ou idade. Porque se quer atingir a perfeição estética ou porque se quer ficar parecido com um(a) tal ator/atriz de Hollywood, ou ainda porque sim, as intervenções estéticas passaram a ficar tão banais quanto comprar um carro ou fazer uma viagem a um lugar longínquo. Capricho? Bem, cada um sabe de si. A verdade é que nem é preciso ter muito dinheiro, apenas encontrar uma empresa que financie o número de vezes adequado em relação ao orçamento do cliente. No Brasil há consórcio com planos de pagamento até oito anos.

Em 2014 o Brasil conquistou o primeiro lugar no *ranking* de países que fazem mais cirurgias plásticas. Sabe-se que os especialistas brasileiros foram responsáveis por 12,9% das 11,6 milhões de intervenções estéticas realizadas no mundo. Não nos podemos esquecer de que muitas destas cirurgias foram de reconstrução após acidente ou doença.

A Sociedade Internacional de Cirurgia Plástica Estética fez um levantamento e mostrou que no Brasil se realizam anualmente cerca de 1,5 milhões de cirurgias: um milhão são procedimentos estéticos e 500 mil são reparadoras.

Mais do que um recurso para adiar o efeito do tempo, a cirurgia é um meio para conseguir a aparência desejada em qualquer idade.

Em 2013 verificou-se que o número de plásticas em adolescentes – entre os 14 e 18 anos – tinha aumentado 141% em quatro anos. Nesse mesmo período, o número de cirurgias estéticas realizadas em adultos tinha crescido 36,8%.

Hoje em dia, o Brasil tem mais cirurgiões plásticos por habitante do que os Estados Unidos. Segundo a Sociedade Brasileira de Medicina, há um especialista para cada 44 mil pessoas, enquanto nos Estados Unidos a proporção é de 1 para 50 mil pessoas.

Nos anos cinquenta o cirurgião plástico mineiro Ivo Pitanguy ganhou fama no Rio de Janeiro. Trabalhou com outros cirurgiões de renome e, em 1961, ganhou notoriedade ao criar uma equipa de voluntários para atender as vítimas do incêndio do *Gran Circus Norte-Americano* que se apresentava em Niterói. Muitas foram as vítimas deste enorme acidente. Apesar de Pitanguy ter conquistado fama por rejuvenescer o rosto de atrizes e figuras famosas da sociedade brasileira, trabalhou na sua especialidade a fim de corrigir as lesões provocadas pelo incêndio, e assim ajudou o Brasil a ganhar destaque nesta área da Medicina.

Mas o espelho pede mais, quer corpos bem definidos –, nem que para isso se tenha de passar horas infindáveis na *malhação*.

Nos últimos anos o "culto do corpo" virou preocupação geral, atingindo as mais diferentes classes sociais e faixas etárias.

A imprensa – revistas, jornais, televisão – dedica cada vez mais espaço não só aos benefícios/efeitos da cirurgia estética, mas também a produtos de cosmética e alimentares que ajudem a melhorar a forma física. Somos bombardeados com publicidade a novas fórmulas de sucesso.

Ninguém duvida dos benefícios de um bom plano alimentar e exercício físico, mas dentro de um programa adaptado a cada pessoa. Não podemos ser a imagem decalcada da atriz do último filme que vimos; não podemos ter o corpo trabalhado como o atleta profissional. Temos de procurar o **bem-estar físico** e psíquico dentro de certos limites. Quais? Cabe a cada um defini-los e não entrar em profunda ansiedade. Correr no *calçadão* ou frequentar o ginásio é uma boa opção qualquer que seja a idade. **Sorrir** também dá bem-estar.

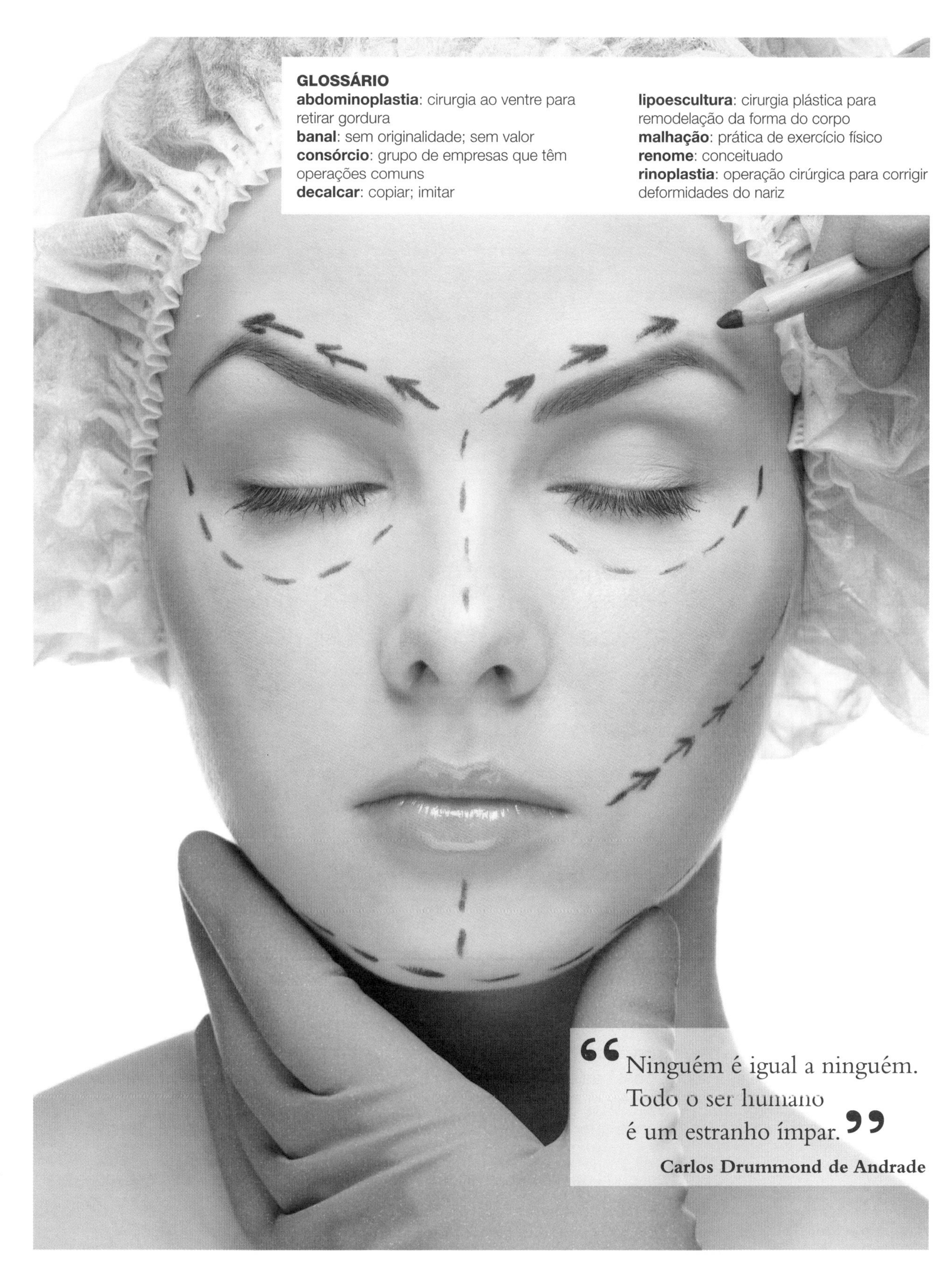

GLOSSÁRIO

abdominoplastia: cirurgia ao ventre para retirar gordura
banal: sem originalidade; sem valor
consórcio: grupo de empresas que têm operações comuns
decalcar: copiar; imitar
lipoescultura: cirurgia plástica para remodelação da forma do corpo
malhação: prática de exercício físico
renome: conceituado
rinoplastia: operação cirúrgica para corrigir deformidades do nariz

"Ninguém é igual a ninguém.
Todo o ser humano
é um estranho ímpar."

Carlos Drummond de Andrade

COMPREENSÃO

Explique o sentido das frases de acordo com o texto.

1. "Espelho, espelho meu, existe no mundo alguém mais belo do que eu?"

____

____

2. "O Brasil é considerado o campeão das cirurgias plásticas (...)."

____

____

3. "(...) um milhão são procedimentos estéticos (...)"

____

____

4. "(...) recurso para adiar o efeito do tempo (...)"

____

____

5. "(...) o 'culto do corpo' (...)"

____

____

6. "Somos bombardeados com publicidade a novas fórmulas de sucesso."

____

____

VOCABULÁRIO

1. Complete o texto com as palavras dadas.

personagens	**pegou**	**vitrina**	**figurinos**
vestuário	**estilo**	**peças**	**atores**

A influência das novelas no consumidor brasileiro

Sabe-se que a novela influencia e muito o ________ de milhares de brasileiros. A novela é uma espécie de ________ com a qual as pessoas se identificam, inclusive com as personagens, desejando o seu ________. Não importa qual a classe social, gosto ou estilo, há sempre alguém que se inspira nas produções das novelas. Mas aquilo que muitos não sabem é que, na verdade, na maior parte das vezes as ________ não lançam tendências. São as indústrias de moda que se aproveitam da exposição dos ________ para lançarem as suas próximas coleções.

Esta história começou com a chegada de uma figurinista da Rede Globo, que percebeu que seria muito mais prático procurar ________ nas lojas do que produzir um figurino inteiro a partir do zero. Depois desta iniciativa, muitas marcas começaram a interessar-se por este canal de televisão e a promover as suas coleções.

Este estilo de publicidade _________ tanto, que já há estudos que apontam no sentido de as novelas serem a maneira mais eficaz de influenciar o consumo. Há uma grande percentagem de espectadores de novelas que utilizam os _________ como inspiração na hora de comprar. Isto acaba por ser uma coisa boa para todos: os fabricantes podem expor as suas roupas, os lojistas conseguem direcionar os produtos, e os consumidores acabam por se sentir mais seguros na sua escolha ao saberem que determinado tipo de produto já foi usado e afirmado como status de beleza.

2. **Abaixo, estão listadas algumas diferenças lexicais entre o português europeu e o português do Brasil.**

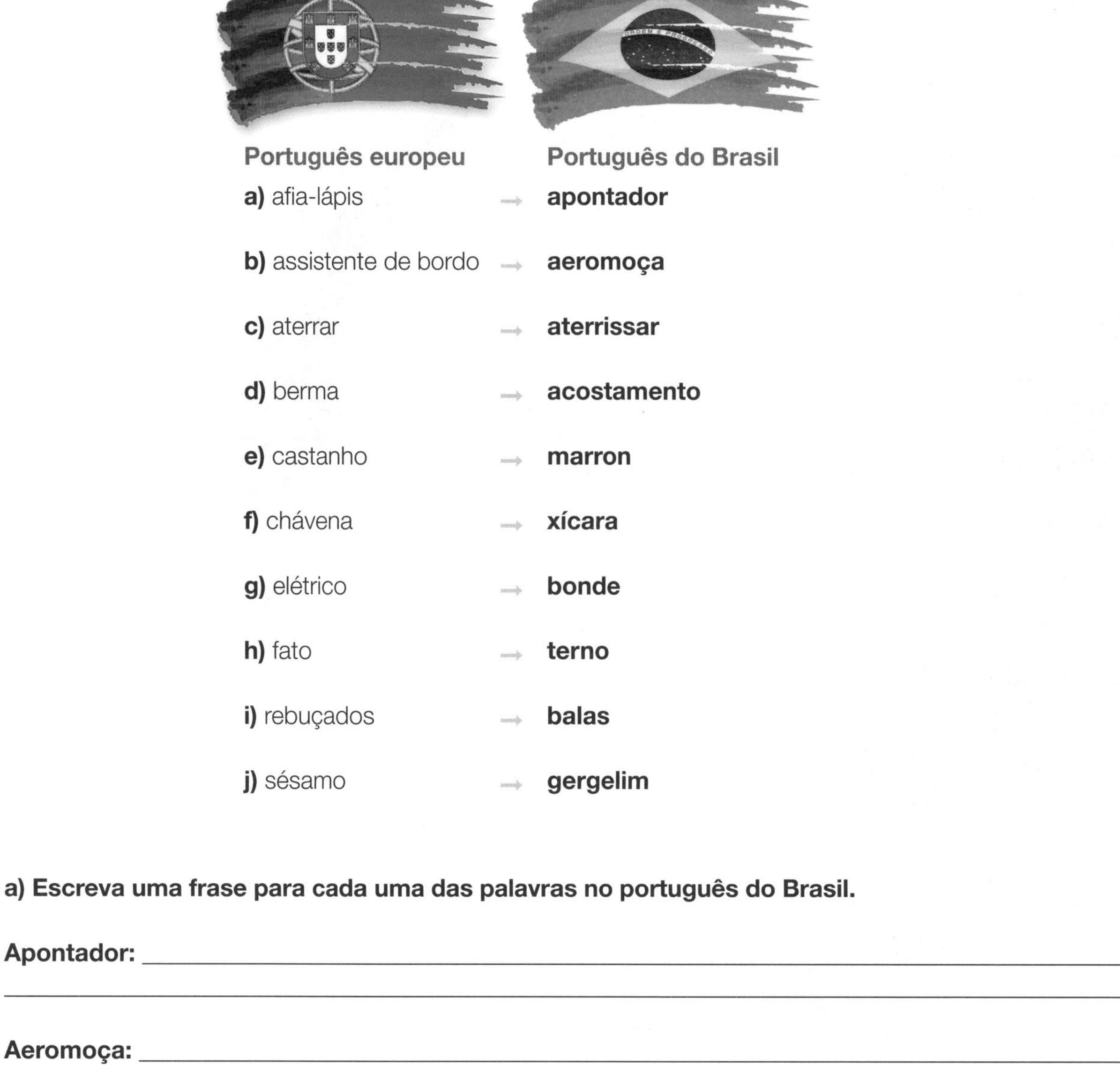

Português europeu		Português do Brasil
a) afia-lápis	→	**apontador**
b) assistente de bordo	→	**aeromoça**
c) aterrar	→	**aterrissar**
d) berma	→	**acostamento**
e) castanho	→	**marron**
f) chávena	→	**xícara**
g) elétrico	→	**bonde**
h) fato	→	**terno**
i) rebuçados	→	**balas**
j) sésamo	→	**gergelim**

a) Escreva uma frase para cada uma das palavras no português do Brasil.

Apontador: ____

____

Aeromoça: ____

____

Aterrissar: ____

____

Acostamento: ____

____

Marron: ____

____

Xícara: ____

____

Bonde: ____

____

Terno: ____

____

Balas: ____

____

Gergelim: ____

____

3. Português do Brasil. Forme uma expressão juntando um elemento de cada coluna.

a) Perder	**1.** em forma
b) Bater	**2.** um cheque
c) Estar	**3.** a paciência
d) Pegar	**4.** uma atitude
e) Passar	**5.** a responsabilidade
f) Assumir	**6.** em pânico
g) Tomar	**7.** contacto
h) Estabelecer	**8.** um papo
i) Entrar	**9.** os ombros
j) Encolher	**10.** o ônibus

4. Escreva uma frase em que utilize as expressões do exercício anterior.

a) ____

b) ____

c) ____

d) ____

e) ____

f) ____

g) ____

h) ____

i) ____

j) ____

5. Qual é o plural de...?

a) atriz ______________

b) órfão ______________

c) cristão ______________

d) anão ______________

e) bagagem ______________

f) banal ______________

g) couve-flor ______________

h) cidadão ______________

i) corrimão ______________

j) nuvem ______________

k) cão ______________

l) vírus ______________

m) hotel ______________

n) olival ______________

GRAMÁTICA

1. Passe para o discurso indireto.

a) O Brasil é considerado o campeão de cirurgias plásticas, o que causou um acréscimo lexical.

Eles disseram-nos que ____

____.

b) A verdade é que nem é preciso ter muito dinheiro, apenas encontrar uma empresa que financie o número de vezes adequado em relação ao orçamento do cliente.

Informaram-nos de que ____

____.

c) A Sociedade Internacional de Cirurgia Plástica Estética fez um levantamento e mostrou que no Brasil se realizam anualmente cerca de 1,5 milhões de cirurgias.

Foi-nos dito que ____

____.

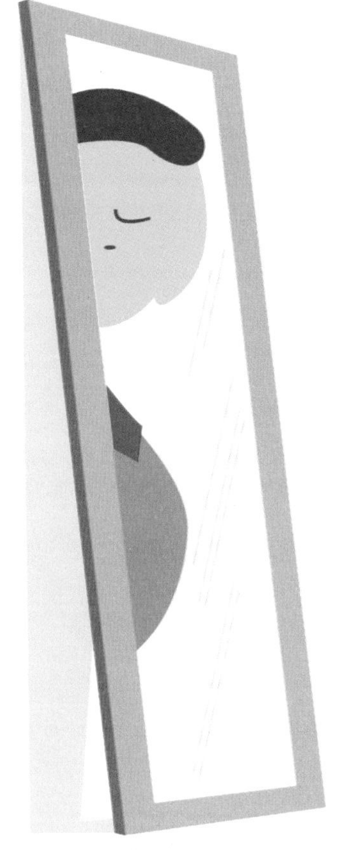

d) O espelho pede mais, quer corpos bem definidos, nem que para isso se tenha de passar horas infindáveis na *malhação*.

Ela disse-me que ____

____.

e) Não podemos ser a imagem decalcada da atriz do último filme que vimos e não podemos ter o corpo trabalhado como o atleta profissional. Temos de procurar o bem-estar físico e psíquico dentro de certos limites. Cabe a cada um defini-los e não entrar em profunda ansiedade. Correr no *calçadão* ou frequentar o ginásio é uma boa opção qualquer que seja a idade. Sorrir também dá bem-estar.

Por fim, ela aconselhou-nos a ____

____

____

____

____.

2. Complete as frases com o conector mais adequado.

a meu ver	porém	do mesmo modo	logo
a fim de	decerto	com o intuito de	por conseguinte

a) Eu não vi esse filme, _____________ li o livro no qual o filme foi baseado.

b) Ela interessa-se por moda, _____________ que se interessa por pintura.

c) Tenho trabalhado bastante e não tenho tido férias. Na próxima semana vou para o Brasil _____________ fazer férias.

d) Os alunos fizeram um bom trabalho durante o curso e passaram no exame com sucesso; _____________, merecem descansar nos próximos dias e antes de retomarem o segundo semestre.

e) _____________, optar por constantes cirurgias plásticas não é saudável.

f) A Florbela vai começar as aulas de ioga _____________ de melhorar a capacidade de concentração.

g) No próximo fim de semana vou para fora, _____________ não contem comigo.

h) Acho que hoje eles vão entregar os livros que requisitaram, _____________ já os leram.

3. Complete as frases com a preposição mais adequada. Faça contração com o artigo quando necessário.

de	a	por	para	com	em

a) Precisamos ____ chegar a horas ____ apanharmos o comboio.

b) Eles apressaram-se ____ entrar antes que os outros chegassem.

c) Estava preocupado ____ eles, mas acabei ____ receber notícias ____ *e-mail*.

d) Ela faz anos ____ 4 ____ fevereiro. Temos ____ lhe telefonar ____ dar os parabéns.

e) Eu não permito ____ ninguém que trate mal os animais.

f) Eles ficaram contentes ____ as notícias e aproveitaram ____ ir festejar.

g) O miúdo desatou ____ chorar quando deixou ____ ver a mãe na praia.

h) Eles foram condenados ____ pagar uma multa ____ falta de documentação atualizada.

i) Reparaste ____ aquela pintura?

j) Elas não querem estar sujeitas ____ medidas ____ esse tipo.

PARA COMENTAR

- "Ninguém é igual a ninguém. Todo o ser humano é um estranho ímpar."
- A cirurgia plástica só se justifica em caso de necessidade de reconstrução na sequência de um acidente.
- Sorrir é um meio de ultrapassar depressões e falta de autoestima.

São Tomé e Príncipe...

1001 km de *magia*

Dona Carlota recusa dizer a idade e tem toda a razão. Porque haveria um "branco" – que ela não conhece de lado nenhum – de querer saber tal coisa? "Puxe o barco e depois faz perguntas!" Assim seja. Durante uns longos e penosos minutos, homens, mulheres e crianças puxam a pequena embarcação areia acima, carregada de peixe. A tarefa estava terminada, mas Dona Carlota gosta mais de interrogar do que ser interrogada: "Nunca viu pescadores na vida? Somos pobres, a nossa sorte é o mar farto", explica esta habitante de **Neves**, uma das principais cidades de São Tomé e Príncipe. "Tem quantos filhos?" Um dedo indicador serve de resposta. "Só um? Tristeza. Tenho cinco", explica ela, enquanto as suas mãos calejadas agarram um volumoso atum. Atarefada e sem grande vontade de fazer conversa mole, despede-se de forma súbita, mas amistosa: "Não esqueça, isto é terra de Deus!"

Olhando à volta, é difícil de discordar. Apesar do lixo espalhado pela praia, apesar das humildes casas de madeira, apesar das águas pouco recomendáveis do **rio Provaz**, este é um território mágico. Basta sair desta aglomeração urbana onde residem perto de sete mil almas e regressar à estrada reabilitada recentemente, com dinheiros da União Europeia. A paisagem virgem acaba por se impor e deixar desconcertado quem nunca aqui pôs os pés. É bem provável que tenha sido essa a sensação que teve o fidalgo D. João de Paiva e respetivos acompanhantes quando fundearam por estas bandas, em 1485. No lugar de **Anambó** sobrevive um velho padrão que assinala esse desembarque e a chegada dos primeiros colonos portugueses – na sua maioria, judeus e prisioneiros condenados ao degredo por D. João II, que percebeu a importância estratégica do arquipélago, supostamente desabitado até então.

Em certos sítios, parece que estamos no princípio dos tempos e, mesmo quando a mão do homem marca presença, logo a natureza se encarrega de fazer das suas. É o que acontece quando alguém atravessa o túnel de **Santa Catarina**, rumo a norte, e começa a ver o que o espera do outro lado: coqueiros, muitos coqueiros, de cor alaranjada. Claro que tudo não passa de um mero efeito de ótica graças ao sol e à localização das árvores. Já agora, convém fazer um esclarecimento: estamos a falar da costa ocidental de São Tomé, que a generalidade dos especialistas e dos são-tomenses considera até nem ser a mais bonita do país. Gostos não se devem discutir, mas, na qualidade de escriba independente, aproveitamos para dar um manifesto e singelo exemplo de injustiça: a ***Lagoa Azul***. Sim, o famoso filme homónimo, protagonizado por Brooke Shields, foi feito na Jamaica, mas também poderia ter sido aqui rodado. Contemplar a baía e as águas turquesas do Atlântico desde o morro do Carregado e depois serpentear até à praia da Lagoa Azul é uma experiência que dispensa quaisquer comentários. E que só fica completa após prestarmos o devido respeito ao centenário embondeiro que serve de referência a quem vai a banhos ou mergulha com o propósito de ver os corais que ficam entre os 10 e os 30 metros de profundidade. Isto para não falar de outras praias até ao extremo sul da ilha e dos ilhéus que pontuam toda a orla oeste.

Seja como for, sublinhe-se a injustiça de ser uma região demasiadas vezes ignorada pelos folhetos turísticos e que praticamente nunca aparece entre os ex-líbris do território.

O mesmo se poderia dizer do **Parque Obô**, que cobre quase um terço do país – 235 quilómetros quadrados em São Tomé e outros 85 no Príncipe (que também fazem parte da biosfera da UNESCO desde 2012). É aí, no centro das duas ilhas, que se concentra toda a floresta primitiva e as nascentes dos 50 rios que depois correm até ao oceano. Uma enorme e luxuriante mancha verde que às vezes parece confundir-se com os cenários de Parque Jurássico, de Steven Spielberg, e que em muito contribui para o carácter encantatório deste que é o segundo mais pequeno Estado de África. A fotógrafa e cineasta I. Gonçalves, que trocou Lisboa por

São Tomé há cinco anos, costuma dizer que estas são "ilhas mágicas". E isso nota-se quando nos embrenhamos na vegetação densa ou nos detemos a ver os pontos mais altos, muitas vezes envoltos num misterioso manto de nevoeiro. Os adeptos dos desportos radicais e de aventura nem fazem ideia do que têm aqui ao seu dispor. Basta dizer que o **Pico Cão Grande** – uma elevação de origem vulcânica com 300 metros de altura – é uma das imagens de marca do país, serve mais de retiro espiritual aos feiticeiros locais do que aos poucos alpinistas que cometeram a proeza de chegar ao topo.

O mesmo se aplica aos outros picos e montanhas ainda mais altos, onde os *stlijons mátu* e os *bolodô de minja* (os curandeiros e os massagistas) encontram tudo o que precisam para tratar todos os males da humanidade. Parece exagero? Talvez pense de forma diferente após ouvir os guias do Jardim Botânico explicarem as aplicações terapêuticas e milagrosas de plantas como o *muambli*, o *pau-purga*, o *cubango* e a *Mimosa pudica* – flor que encolhe quando tocada e é também conhecida por "mulher portuguesa".

Mitos e lendas que fazem parte de uma cultura crioula que tem em J. C. Silva um dos seus expoentes mais populares. O carismático chefe nunca perde uma oportunidade para sublinhar a importância dos saberes tradicionais: "E não é só na cozinha, é em todas as artes." Se bem o diz, melhor o faz na **Roça de São João dos Angolares**, onde fica o seu incontornável restaurante e a casa grande convertida em boutique-hotel com uma vista de postal ilustrado. A sua ementa

– variável mas sempre criativa – continua a seduzir os comensais mais exigentes e faz jus aos pratos e produtos indígenas, incluindo a feijoada de búzios (com os ditos a provirem da terra e não do mar), a pedir um aromático molho picante ironicamente chamado fura-cueca.

Para os menos avisados, é imperioso alertar que nenhuma visita a este país de 1001 quilómetros quadrados, bem no centro da Terra – onde a linha do Equador se cruza com o meridiano de Greenwich –, estará completa sem uma deslocação à ilha do Príncipe.

Com apenas sete mil habitantes, ainda mais verde e selvagem do que São Tomé, é um mundo à parte que a dupla insularidade criou para o melhor e para o pior. Para o conhecer, não chega ficar uns quantos dias nos *resorts* turísticos que existem. É preciso falar com as pessoas que lá vivem e procurar – a pé, de barco ou num todo-o-terreno – o muito que há para descobrir. Como diz o provérbio são-tomense, **"aquilo que Deus não nos deu, não podemos tomar à força"**...

▲ Texto adaptado, **Filipe Fialho** *in Visão*

GLOSSÁRIO

calejado: endurecido; que tem calos
carismático: fascinante
comensal: que come com outras pessoas na mesma mesa; convidado
degredo: pena de desterro imposta judicialmente como castigo por um crime grave
embrenhar-se: envolver-se; entrar pelo mato
farto: repleto; abundante
fundear: atracar
insularidade: relativo à vida numa ilha; constituído por uma ou mais ilhas
luxuriante: exuberante; viçoso
orla: margem
penoso: difícil

COMPREENSÃO

Explique o sentido das frases de acordo com o texto.

1. "Atarefada e sem grande vontade de fazer conversa mole (...)"

____
____
____

2. "Não se esqueça, isto é terra de Deus!"

____
____
____

3. "(...) mesmo quando a mão do homem marca presença, logo a natureza se encarrega de fazer das suas."

____
____
____

4. "A sua ementa (...) continua a seduzir os comensais mais exigentes e faz jus aos pratos e produtos indígenas (...)."

____
____
____

5. "(...) aquilo que Deus não nos deu, não podemos tomar à força."

____
____
____

VOCABULÁRIO

1. Complete o texto com as palavras dadas.

aceitavam	festa	reunião
zangadas	refúgio	contente
aviso	educados	horas

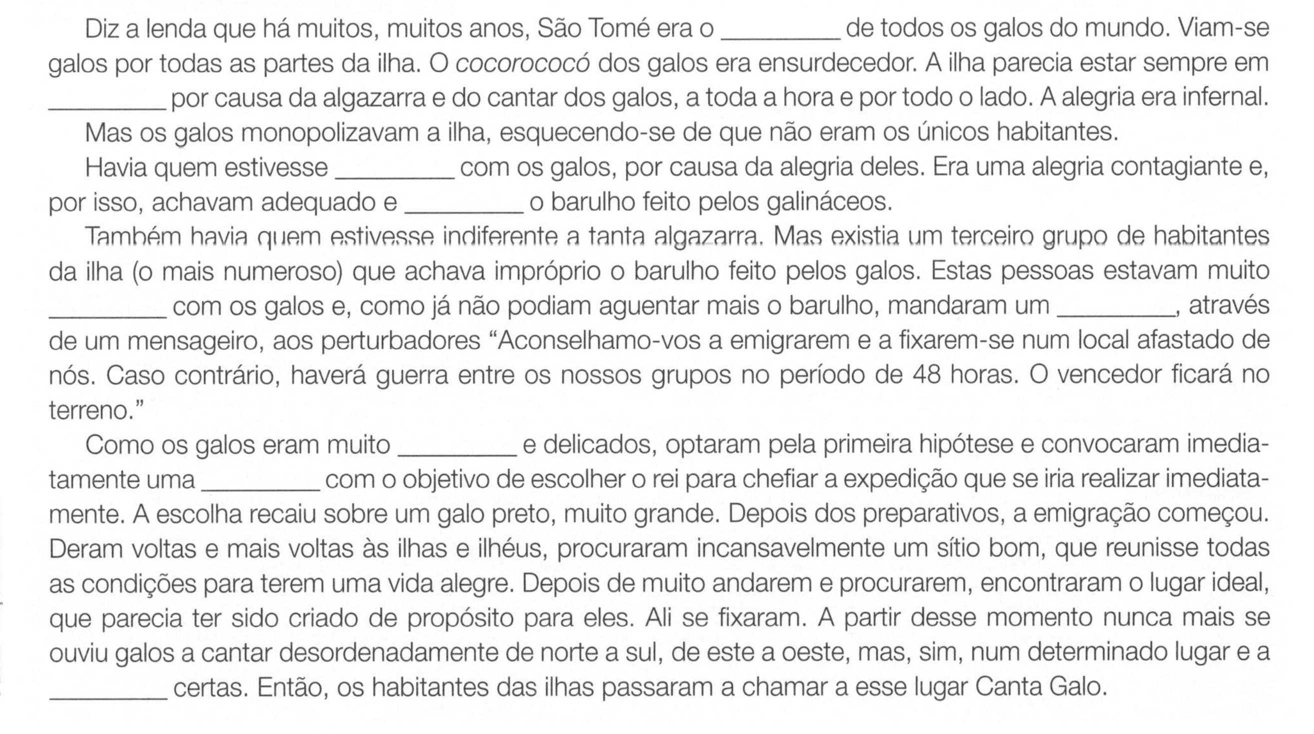

Lenda do Canta Galo

Diz a lenda que há muitos, muitos anos, São Tomé era o _________ de todos os galos do mundo. Viam-se galos por todas as partes da ilha. O *cocorococó* dos galos era ensurdecedor. A ilha parecia estar sempre em _________ por causa da algazarra e do cantar dos galos, a toda a hora e por todo o lado. A alegria era infernal.

Mas os galos monopolizavam a ilha, esquecendo-se de que não eram os únicos habitantes.

Havia quem estivesse _________ com os galos, por causa da alegria deles. Era uma alegria contagiante e, por isso, achavam adequado e _________ o barulho feito pelos galináceos.

Também havia quem estivesse indiferente a tanta algazarra. Mas existia um terceiro grupo de habitantes da ilha (o mais numeroso) que achava impróprio o barulho feito pelos galos. Estas pessoas estavam muito _________ com os galos e, como já não podiam aguentar mais o barulho, mandaram um _________, através de um mensageiro, aos perturbadores "Aconselhamo-vos a emigrarem e a fixarem-se num local afastado de nós. Caso contrário, haverá guerra entre os nossos grupos no período de 48 horas. O vencedor ficará no terreno."

Como os galos eram muito _________ e delicados, optaram pela primeira hipótese e convocaram imediatamente uma _________ com o objetivo de escolher o rei para chefiar a expedição que se iria realizar imediatamente. A escolha recaiu sobre um galo preto, muito grande. Depois dos preparativos, a emigração começou. Deram voltas e mais voltas às ilhas e ilhéus, procuraram incansavelmente um sítio bom, que reunisse todas as condições para terem uma vida alegre. Depois de muito andarem e procurarem, encontraram o lugar ideal, que parecia ter sido criado de propósito para eles. Ali se fixaram. A partir desse momento nunca mais se ouviu galos a cantar desordenadamente de norte a sul, de este a oeste, mas, sim, num determinado lugar e a _________ certas. Então, os habitantes das ilhas passaram a chamar a esse lugar Canta Galo.

2. Abaixo, estão listadas algumas diferenças lexicais entre o português europeu e o português de São Tomé e Príncipe.

Português europeu		Português de São Tomé e Príncipe
a) aguaceiro	→	**chuvisco**
b) aguardente	→	**cacharamba**
c) bisbilhoteiro	→	**saliente**
d) engate	→	**bendencha**
e) filho mais novo	→	**caçula**
f) frigorífico	→	**geleira**
g) guarda-costas	→	**capanga**
h) intrometido	→	**piucú**
i) preguiça	→	**mongonha**
j) quinta	→	**roça**

a) Escreva uma frase para cada uma das palavras no português de São Tomé e Príncipe.

Chuvisco: ____

____

Cacharamba: ____

____

Saliente: ____

____

Bendencha: ____

____

Caçula: ____

____

Geleira: ____

____

Capanga: ____

____

Piucú: ____

____

Mongonha: ____

____

Roça: ____

____

3. "(...) a *Lagoa Azul*. Sim, o famoso filme homónimo protagonizado por Brooke Shields (...)"
Em português há muitas palavras que podem ter mais de um significado.
Escreva duas frases para cada palavra dada, de modo a ilustrar os diferentes sentidos.

a) dó
1. ______
2. ______

b) vaga
1. ______
2. ______

c) vale
1. ______
2. ______

d) cachorro
1. ______
2. ______

e) saia
1. ______
2. ______

f) manga
1. ______
2. ______

GRAMÁTICA

1. Transforme a frase dada, começando como indicado e não alterando o sentido. Pode completá-la sempre que considerar necessário.

a) Puxe o barco e depois faz perguntas.

Dona Carlota respondeu que ______
______.

b) Não se esqueça de que isto é terra de Deus!

E acrescentou que ______
______.

4. Complete o quadro.

Nome	Verbo	Adjetivo
a embarcação		
a aglomeração		
		condenado
	contemplar	
	ignorar	
		encantatório
a fotografia		
a elevação		
	exagerar	
	seduzir	

c) É bem provável que tenha sido essa a sensação que teve o fidalgo D. João de Paiva.

Seria bem provável que ______________________________

______________________________.

d) Os adeptos dos desportos radicais e de aventura nem fazem ideia do que têm aqui ao seu dispor.

Ainda que ______________________________

______________________________.

e) Talvez pense de forma diferente após ouvir os guias do Jardim Botânico explicarem as aplicações terapêuticas e milagrosas das plantas.

Talvez ______________________________ se ______________________________

______________________________.

2. Preposições. Caça ao erro. Em cada frase pode encontrar um ou dois erros. Assinale e corrija.

a) Eu não confio nele, porque se esquece sempre me avisar quando não vem trabalhar. ____________________

b) É frequente ele meter-se com assuntos que não são da conta dele. ____________________

c) As condições são favoráveis de mudanças de clima. ____________________

d) Costumo ir no avião para São Tomé, mas desta vez penso de ir de barco. ____________________

e) Eles esforçam-se muito em agradar à família que os acolheu. ____________________

f) Discordando com as afirmações feitas durante a reunião, ele saiu batendo à porta. ____________________

g) Todos se queixam do clima, mas ninguém faz nada por melhorar as condições ambientais. ____________________

h) Confesso que simpatizo por eles, são bastante amáveis. ____________________

i) Eles sempre foram muito generosos com os turistas, acolhendo-os às suas casas. ____________________

j) Este artigo é bastante acessível por as pessoas que ainda não conhecem o arquipélago. ____________________

3. Conjunções e locuções. Complete as frases da coluna A com as da coluna B.

A	B
a) Enquanto vocês visitam a ilha,	**1.** de repente, caiu uma enorme carga de água.
b) Sem dúvida que esta ilha	**2.** nós não nos importamos de nos mudarmos para cá.
c) Estávamos a caminhar pela praia e,	**3.** tanto melhor para todos nós.
d) Desde que nos deem condições,	**4.** assim que terminaram a reportagem.
e) Quanto maior for o silêncio,	**5.** eu vou aproveitar para ir pescar.
f) Voltaram para o país deles,	**6.** mais eu aprecio estas pessoas que aqui encontrei.
g) À medida que o tempo passa,	**7.** fomos ajudar os pescadores.
h) Embora estivéssemos cansados,	**8.** tem algo de mágico.

PARA COMENTAR

- Viver num arquipélago é estar longe da qualidade de vida.
- A natureza é cada vez mais importante para o mundo que nos espera no futuro.
- Destruir florestas é sinal de que se está a dar trabalho aos mais carenciados.

Sol Nascente
ou...
Loro Sae

De quantas *línguas* se faz um *país*?

O primeiro contacto de **Timor** com a língua portuguesa foi provavelmente em 1511, quando Francisco Serrão a visitou. O português começou a espalhar-se pelas costas das terras dominadas politicamente pela Coroa portuguesa e, à medida que a soberania portuguesa se foi estabelecendo, o português impôs-se como língua de administração. A principal via de difusão da língua portuguesa em **Timor-Leste** foi a missionação. Durante os primeiros 150 anos foram os missionários que se ocuparam do ensino, desenvolvendo o primeiro manual bilingue para ensinar português. Também foram eles que implementaram as primeiras escolas primárias.

Enquanto colónia do Império Português, no século XVI, o país era conhecido como Timor Português. Só depois adquiriu a designação de Timor-Leste. Assim continuou a ser até à independência, proclamada unilateralmente a 28 de novembro de 1975. Porém, pouco tempo depois a Indonésia (que faz fronteira terrestre pelo lado oeste do país) invadiu Timor e consequentemente a língua portuguesa foi proibida durante 24 anos, o tempo que durou a ocupação. Passou a ser o indonésio a língua mais falada.

Em 2002, Timor-Leste tornou-se um país independente e, então, quer o **português** quer o **tétum** foram as línguas adotadas como oficiais.

Na prática, o tétum é a língua mais disseminada: é falada em todo o território. Segundo Mari Alkatiri (líder da Fretilin) "o português não é a língua da unidade, mas é a língua da identidade." De acordo com a **Constituição de Timor-Leste** (artigo 3.º): "**1. O Jornal da República é publicado em ambas as línguas oficiais. 2. As versões em português e em tétum são publicadas lado a lado, ocupando a primeira o lado esquerdo. 3. Em caso de divergência entre ambos os textos, prevalecerá o texto em língua portuguesa.**"

Toda esta complexidade de línguas faladas em território timorense levou as autoridades do país a solicitarem a análise da situação por parte de linguistas. Como o tétum é uma língua pouco desenvolvida, pois não tem uma tradição escrita, carece de vocabulário e tem uma enorme complexidade gramatical, Geoffrey Hull – linguista australiano – estabeleceu regras ortográficas e de evolução para a língua timorense. Tendo concluído que "as palavras que não existem devem ser roubadas ao português". Acrescentou ainda que "o mais importante símbolo nacional é, sem dúvida, a língua e, se ela se desenvolver recorrendo ao inglês ou ao bahasa da Indonésia, o tétum acabará por desaparecer, engolido por aquelas línguas, que têm muito mais força na região. Mas, se se desenvolver com o português, o tétum assumirá uma especificidade que o tornará irredutível e um símbolo de identidade."

Contudo, há quem pergunte: "Porque é que depois da independência ainda há uma esmagadora maioria da população que não fala português?". O jornalista português Paulo Moura explicou: "**Aprenderam bahasa Indonésia e inglês como segunda língua e falam tétum em casa, além de alguma**

outra língua timorense, como o fataluco ou o baiqueno. É a chamada geração "Tim-Tim", do nome Timor-Timur, que os indonésios davam à sua 27.ª província. Muitos estudaram na Indonésia ou na Austrália, e é difícil explicar-lhes, hoje, a importância do português. Pior ainda, como veem que as elites políticas, privilegiadas, falam português, e como lhes é vedado o acesso aos empregos na administração pública, por não falarem a língua agora oficial, estes jovens criaram alguma hostilidade em relação a Portugal e à língua portuguesa".

Timor-Leste, em colaboração com Portugal, criou um Projeto de Reintrodução da Língua Portuguesa. Ao abrigo deste projeto, vários professores de português foram contratados para ensinar a língua. Foram colocados em diferentes distritos, vivendo muitas vezes em condições difíceis, ensinando não diretamente os alunos das escolas, mas antes os professores timorenses e os funcionários públicos. Mas por que razão é que estes professores de português não ensinam diretamente os alunos? Não seria mais eficiente? A resposta parece estar no facto de, se eles ensinassem diretamente os alunos, as aulas teriam uma duração de 30 minutos por dia e o resto das aulas teriam de ser ministradas em tétum ou bahasa, e isso não produzia resultados positivos.

Os professores timorenses têm seis horas de aulas por semana (em horário pós-laboral) e progridem ao longo de quatro níveis, desde o nível de aprendizagem até ao bacharelato. O objetivo é passarem a ensinar português aos seus próprios alunos. Estes objetivos não são sempre alcançados, na medida em que os professores timorenses, só com duas aulas de português por semana, nem sempre adquirem conhecimentos suficientes de português para ficarem habilitados a ensinarem os alunos. Por tudo isto, podemos perguntar-nos: "Que língua se falará em Timor-Leste daqui a 30 anos?"

De facto, não podemos antecipar a resposta, mas a verdade é que ainda hoje muitos timorenses têm apelidos portugueses, tais como: Cardoso, Amaral, Soares, Araújo, Santos, Ribeiro, Lopes, Sarmento, Noronha, etc. Curiosamente, os rapazes, às vezes, têm nomes que, em Portugal, só existem para as raparigas, como, por exemplo, Filomeno ou Anito.

GLOSSÁRIO
difusão: propagação; divulgação
disseminar: espalhar; divulgar
hostilidade: agressividade; combate
irredutível: inflexível; que possui sempre a mesma opinião
missionação: evangelização
vedar: impedir; proibir

COMPREENSÃO

Explique o sentido das frases de acordo com o texto.

1. "(...) à medida que a soberania portuguesa se foi estabelecendo (...)"

2. "(...) o português não é a língua da unidade, mas é a língua da identidade."

3. "(...) as palavras que não existem devem ser roubadas ao português."

4. "(...) o tétum é uma língua (...) [que] não tem tradição escrita."

5. "Mas se se desenvolver com o português, o tétum assumirá uma especificidade que o tornará irredutível e um símbolo de identidade."

VOCABULÁRIO

1. Complete o texto com as palavras dadas.

Gastronomia timorense

A gastronomia timorense, apesar de beber dos ________ e sabores asiáticos, conseguiu manter, a muito custo, uma ________ própria, que tem tanto de simples como de ________ e fascinante. É muito mais do que um apanhado de influências ________ mais ou menos impostas. Os timorenses foram exímios na ________ de selecionar o melhor da gastronomia estrangeira para ________ na sua. Falamos da gastronomia portuguesa, chinesa, ________, africana. Todas elas podem ser ________ nos pratos timorenses, ainda que com um tratamento e uma utilização muito peculiares. Para ________ bem a gastronomia de Timor-Leste não ________ esta explicação. O melhor é mesmo degustá-la ________ de pratos como o *Singa de Kurita*, o *Tukir de Cabrito*, o *Sassate*, o *Vau-Tan*, o *Saboco Peixe*, entre outros. Também os doces são de provar e chorar por mais: *Mano Tem*, doce de ananás e o arroz de Jagra.

integrar
métodos
arte
através
exótica
conhecermos
encontradas
identidade
estrangeiras
indiana
basta

2. Como se diz em Timor-Leste? Quer tentar descobrir? Procure na coluna B como se diz (e escreve) o que está na coluna A.

A	B
Em Portugal	**Em Timor-Leste**
a) Bom dia	**1. Obrigadu**
b) Boa tarde	**2. Lae**
c) Boa noite	**3. Ha'u di'ak**
d) Como estás?	**4. Loos**
e) Estou bem	**5. Bondia/Dader diak**
f) Obrigado	**6. Di'ak ka lae?**
g) Sim	**7. Ida ne'e folin hira**
h) Não	**8. Ha'u comprende**
i) Compreendo	**9. Sintina iha ne'ebe?**
j) Tenha um bom dia	**10. Bonoite/Kalan diak**
k) Bom apetite	**11. Botarde/Lorokraik diak**
l) Por favor	**12. Ksolok loron natal nian**
m) Com licença	**13. Sorte diak ba loron ohin**
n) Quanto custa isto?	**14. Han ho gostu**
o) Onde é a casa de banho?	**15. Favór ida**
p) Bom Natal	**16. Kolisensa**

3. Forme uma expressão juntando um elemento de cada coluna.

a) Solicitar	**1.** um medicamento
b) Receitar	**2.** o avião
c) Pedir	**3.** o tema
d) Apanhar	**4.** uma hemorragia
e) Acalentar	**5.** uma exceção
f) Abrir	**6.** esperanças
g) Estancar	**7.** uma análise
h) Abreviar	**8.** nota
i) Marcar	**9.** desculpa
j) Tomar	**10.** um encontro

4. Escreva uma frase em que utilize as expressões do exercício anterior.

a) ______________________________

b) ______________________________

c) ______________________________

d) ______________________________

e) ______________________________

f) ______________________________

g) ______________________________

h) ______________________________

i) ______________________________

j) ______________________________

5. Qual é o feminino de…?

a) António ____________
b) jornalista ____________
c) administrador ____________
d) diretor ____________
e) embaixador ____________
f) aldeão ____________
g) genro ____________
h) cliente ____________
i) europeu ____________
j) formador ____________
k) sultão ____________
l) anão ____________
m) imperador ____________
n) colega ____________
o) cidadão ____________
p) turista ____________

6. Nomes pátrios. Como se chama quem é de…?

a) São Tomé ____________
b) Bolívia ____________
c) Egito ____________
d) Malásia ____________
e) Indonésia ____________
f) Nova Zelândia ____________
g) Tonga ____________
h) Zimbabué ____________
i) Bélgica ____________
j) Marrocos ____________

GRAMÁTICA

1. Complete o texto com a preposição mais adequada. Faça contração com o artigo quando necessário.

a **para** **de** **em** **com** **por** **entre** **sobre**

Panos e faixas *Tais*

O *Tais* é o tecido tradicional ______ Timor-Leste e é utilizado como parte ______ o vestuário. As timorenses confecionam-no ______ teares tradicionais ______ madeira, ______ partir ______ o fio de algodão. ______ os fios adquirirem as cores pretendidas, são tingidos ______ corantes naturais e sintéticos. Quanto ______ os padrões e motivos, são originalmente tradicionais e ostentam interessantes desenhos geométricos. Estes desenhos são conhecidos localmente ______ *Kaif* e representam figuras antropomórficas ______ braços e mãos esticadas, figuras zoomórficas ______ diversos animais: crocodilos, pássaros, galos, peixes e elementos da natureza.

Estes tecidos desempenham um papel importante ______ a cultura timorense. São usados ______ cerimónias ______ homenagem, festas e rituais religiosos que celebram as mudanças ______ as várias etapas ______ a vida ______ o indivíduo, ______ exemplo: o nascimento, o casamento e o funeral, ______ rituais anímicos, ______ o *status* social e, ainda, como troca ______ presentes ______ os membros ______ a comunidade. Também têm a função ______ identificar a família, a linhagem e o grupo étnico. Como herança cultural, assumem um papel primordial ______ a sobrevivência e identidade ______ o grupo, diferenciando-se ______ os diferentes estilos, cores, motivos decorativos e técnicas ______ tecelagem. São vendidos ______ as ruas ou ______ o Mercado dos *Tais*.

Os timorenses têm um enorme orgulho ______ os *Tais*, não só ______ a sua simbologia e tradição, mas também ______ o carácter económico como meio ______ sobrevivência.

Nos dias de hoje, esta indumentária nativa tem estado ______ dar lugar a vestes mais simples e modernas. Contudo, ______ as cerimónias, os homens vestem panos retangulares chamados *Tais Mane*, compostos ______ dois ou três panos cosidos uns ______ os outros, que envergam ______ a volta da cintura. As mulheres vestem *Tais Feton*, justos ______ o corpo, usados ______ a volta ______ a cintura ou atravessados ______ a zona ______ o peito.

Quanto ______ as faixas, elas são constituídas ______ uma única banda estreita ______ franja ______ fios torcidos ______ as duas extremidades, e são usadas penduradas ______ o pescoço, ______ os ombros ou ______ a cintura.

2. Complete o texto conjugando o verbo dado na forma correta.

Inês Cordeiro, jovem socióloga de Lisboa, ________ (concluir) há poucas semanas um estágio profissional em Timor-Leste. Nesta entrevista, Inês ________-nos (falar) da experiência que ________ (viver) em terras de Loro Sae.

Terminou há pouco tempo uma experiência profissional em Timor-Leste. Como é que ________ (surgir) essa oportunidade?

Depois de ________ (terminar) a licenciatura e o mestrado, ________ (candidatar-se) ao programa INOV Contacto – Estágios Internacionais, que ________ (apoiar) a formação de jovens que ________ (querer) realizar estágios profissionais no estrangeiro. O programa ________ (durar) seis meses e, no final, ________ (ter) a sorte de ________ (escolher).

Como é que ________ (reagir) quando ________ (saber) que ________ (ser) colocada em Timor-Leste?

Bem... para dizer a verdade, no princípio ________ (ficar) bastante surpreendida. Mas como neste programa nós não ________ (poder) escolher o país para estagiar, e eu ________ (gostar) de aventura... ________ (conformar-se) com o destino desconhecido. Claro que me ________ (preocupar) com as longas horas de voo, com as doenças tropicais, com o medo dos desastres naturais. Mas como ________ (ser) uma pessoa positiva, ________ (dar) início ao processo. ________ (começar) a pesquisar sobre o país: história, hábitos, geografia, aspetos sociais... Também ________ (falar) com algumas pessoas que ________ (vir) de lá há dois anos e elas ________-me (dar) algumas dicas.

E quando lá ________ (chegar)?

Logo no aeroporto, ________ (ser) muito bem recebida por um responsável pelo projeto. ________ (ser) colocada num gabinete, que ________ (ser) recentemente criado e onde, além de mais dois portugueses (o João e a Paula), também ________ (estar) colegas timorenses. O ambiente de trabalho ________ (ser) fantástico, muito familiar, mesmo. Como (nós) ________ (passar) muito tempo a trabalhar em conjunto nos projetos de apoio social, a integração ________ (ser) total. Os timorenses ________-me (ensinar) muito. Eles ________-me (ajudar) a ________ (conhecer) o país, através da cultura, dos costumes, do ritmo de trabalho que, ________ (dizer)-se de passagem, não é nada *stressado* como aqui no nosso país. O próprio local de trabalho ________ (ter) boas condições. Não ________ (poder) esquecer que os meus colegas de trabalho ________ (ser) o maior apoio que eu ________ (poder) ter.

Durante a sua estada, qual foi a sua melhor experiência?

________ (surgir) quando eu mais três colegas timorenses e o responsável pelo projeto ________ (ir) ao distrito de Aileu para ________ (falar) com a gente local e interagir com eles no combate às maiores dificuldades. Curiosamente, todo aquele aparato ________ (despertar) interesse por parte da população local que ________ (começar) a subir a montanha para ________ (ver) o que se ________ (passar). Gente muito simples e hospitaleira. Gente muito afável. O contacto com aquela população ________-se (tornar) mágico para mim.

Pensa voltar?

Porque não?________ (deixar) lá muitos amigos e também uma parte de mim... Sim, ________ (voltar) logo que me ________ (ser) possível.

3. Substitua a parte destacada pelos pronomes pessoais de complemento direto ou indireto (ou ambos, contraídos).

a) Foram os missionários que desenvolveram **o primeiro manual bilingue**.

___

b) Eles implementaram **as primeiras escolas primárias**.

___

c) A socióloga Inês Cordeiro receberá **os amigos timorenses** nas próximas férias.

___

d) Ela disse que já tinha recebido **algumas informações** antes de partir.

___

e) Embora os timorenses falem diferentes dialetos, usam **a língua portuguesa** em situações mais formais.

___

f) Usaria **um *Tais Feton*** se fosse a uma cerimónia em Díli.

___

g) Os timorenses vendem **estes tecidos** nas ruas e mercados.

___

h) Daqui a um ano terei visitado **os meus amigos de Baucau**.

___

PARA COMENTAR

- As relações com países que têm mais de uma língua/ dialeto tornam-se difíceis.
- Havendo vários dialetos em Timor, dependendo da região, isso poderá trazer graves problemas de aprendizagem por parte das crianças quando mudam de localidade.
- Depois de ter lido o texto inicial, qual lhe parece que deveria ser a língua a perdurar em Timor: português ou tétum?

Saudade e **morabeza**

No princípio era a saudade...

Diz-se que Cabo Verde nasceu sob o signo da **saudade**, dado terem sido os portugueses a descobrir este arquipélago em 1460. Há quem diga que já outros povos tinham estado nas ilhas do arquipélago à procura de sal, pois era considerada uma especiaria nesses tempos remotos. Contudo, não existem documentos que comprovem esta teoria.

Bem, mas deixemos as hipóteses e passemos aos factos.

A primeira ilha descoberta foi a **Ilha da Boavista**, nome dado pelos portugueses em consequência do longo período de tempo que permaneceram no mar, sem nenhuma referência de terra. Depois, foram chegando às outras ilhas: **Santo Antão**, **São Vicente**, **Santa Luzia**, **São Nicolau**, **Santiago**. Nomes de santos correspondentes aos dias em que aportaram. Numa das ilhas encontraram grandes salinas, por isso deram-lhe o nome de **Ilha do Sal**. Em maio chegaram a uma outra ilha e batizaram-na com o nome de **Ilha de Maio**.

Numa outra, depararam-se com um vulcão, que supostamente estava em atividade no momento da chegada dos portugueses e por isso lhe chamaram **Ilha do Fogo**. Mas ainda encontraram uma outra ilha, com aspeto selvagem, um tanto ou quanto hostil, e que ficou com o nome de **Ilha Brava**.

Como todo o arquipélago se encontrava desabitado, os portugueses deram início ao povoamento das ilhas – em 1462 – com nativos da costa ocidental da África, genoveses e portugueses. Esta era uma forma de fazer com que as ilhas fossem um ponto de apoio à navegação e assegurassem a continuidade das Descobertas mais para o sul e o comércio da costa.

Quer os europeus quer os africanos, longe da terra natal e dos seus, desenvolveram um sentimento de perda e de saudade. Mais tarde, fundindo na

mestiçagem essas saudades de continentes diferentes, surgiram as cantigas crioulas que deram origem à morna, de tom dolente e nostálgico.

Mas conheçamos um pouco mais do povo cabo-verdiano. Este povo habituou-se a ver chegar e partir pessoas de e para outras paragens.

Firmino Silva, pescador desde que se lembra, em jeito de desabafo, mas também com uma ponta de orgulho, afirmou: "Sabe, o homem começou a sair em busca de melhores condições de vida e, hoje, está nos quatro cantos do mundo…"

Assim é! Atualmente, será seguro dizer que qualquer cabo-verdiano tem um filho, um parente, um compadre ou um amigo a viver noutra ilha ou emigrado no estrangeiro. Talvez por estas circunstâncias se tenha desenvolvido uma disponibilidade natural para receberem, de forma amável, qualquer visitante, quer seja um conterrâneo quer seja um estrangeiro. É a esta atitude amigável, gentil que se querem referir quando dizem: **morabeza**.

Falemos agora da cultura deste arquipélago. Trata-se, pelos motivos anteriormente referidos, de uma mistura da cultura africana com a europeia. Cabo Verde tem uma grande variedade de géneros musicais, que revelam as diversas origens da população cabo-verdiana. A **morna** é um dos mais conhecidos estilos musicais (e de dança) deste país, que reflete a realidade insular do povo de Cabo Verde: o **profundo romantismo** dos seus trovadores e o **amor à terra** (ter de partir, mas querer ficar). Tradicionalmente, é tocada com instrumentos acústicos (como o violão) e é caracterizada por ter um andamento lento, um compasso binário; a estrutura poética é organizada em estrofes que vão alternando com um refrão. A morna já foi "apresentada" ao mundo por vários artistas, tendo sido Cesária Évora a mais famosa embaixadora deste género musical.

Como dança, a morna constitui uma dança de salão, dançada aos pares. Os executantes dançam-na com um braço a enlaçar o parceiro, enquanto com o outro braço mantêm as mãos dadas. A dança é levada imprimindo oscilações do corpo ora para um lado ora para outro.

Mas Cabo Verde tem outros estilos musicais e de dança, tais como o **funaná** e as **coladeiras**.

Resta acrescentar que, ao contrário das mornas, o funaná está intimamente associado ao acordeão, conhecido em Cabo Verde por gaita, e ao ferrinho. A poesia cantada no funaná enaltece as situações do quotidiano, fazendo referência às amarguras e alegrias do dia a dia, assim como a críticas sociais, reflexões sobre a vida e situações idílicas.

Mas não é só o ritmo que ligamos à cultura cabo-verdiana. Também o artesanato, a gastronomia, a literatura…

Quanto a esta última referência cultural, é necessário destacar que é uma das mais ricas da África lusófona. Muitos são os escritores e poetas que têm deixado obra literária a enriquecer o património cultural de Cabo Verde. Na impossibilidade de referir todos, aqui ficam alguns nomes: Eugénio Tavares, Baltasar Lopes da Silva, Aguinaldo Fonseca, Onésimo Silveira, Germano Almeida, Orlanda Amarílis, entre muitos outros.

GLOSSÁRIO

aportar: entrar num porto; ancorar; chegar
compadre: diz-se de pessoa que se estima e com quem se mantém uma relação afetiva de amizade
conterrâneo: pessoa da mesma terra; aquele que compartilha a mesma origem
dolente: que sente mágoa; queixoso; triste
estrofe: conjunto de dois ou mais versos que apresentam, em geral, sentido completo, e em que se dividem certas composições poéticas
idílico: suave; terno; maravilhoso
mestiçagem: cruzamento de raças ou de etnias distintas
nostálgico: melancólico; triste
oscilar: tremer; vacilar; hesitar; variar
remoto: distante

COMPREENSÃO

Explique o sentido das frases de acordo com o texto.

1. "No princípio era a saudade…"

2. "(…) sem nenhuma referência de terra."

3. "Mais tarde, fundindo na mestiçagem essas saudades de continentes diferentes (…)."

4. "(…) pescador desde que se lembra (…)"

5. "A morna (…) reflete a realidade insular do povo de Cabo Verde."

VOCABULÁRIO

1. Complete o texto com as palavras dadas.

popular	**moda**	**tecelagem**	**aguardente**
enorme	**antigas**	**tear**	**argila**
moeda	**artes**	**vasos**	**ilha**

Artesanato cabo-verdiano

O artesanato tem uma ________ importância na cultura cabo-verdiana. Quer a cerâmica quer a tecelagem são ________ muito apreciadas neste arquipélago, pois não só expressam a cultura ________, como também são objeto de utilidade.

No que se refere à ________, é digno de destaque o **pano de terra** (bandas de tecido produzidas em ________ manual, com desenhos geométricos, que no passado chegaram a ser usadas como ________ de troca na atividade comercial). Ao longo do tempo, tem sido introduzido no vestuário, assim como bolsas e outros acessórios, tornando-se ________ e objeto de grande procura.

A cerâmica é das atividades mais ________, provavelmente herdada dos muçulmanos chegou à Ilha da Boavista pela mesma via utilizada pela tecelagem: escravos-pastores vindos de Santiago no século XVI. A existência de quantidades inesgotáveis de ________ nesta ________ facilitou a introdução e o desenvolvimento da olaria na Boavista.

Em cerâmica, são feitos vários utensílios, tais como: ________ e vasilhas; peças em barro ou em pedra.

Mas a arte artesanal não se fica por aqui. Entre os produtos artesanais na área alimentar e de bebidas, Cabo Verde produz os tradicionais *pontche* (bebida doce, à base de ________, açúcar e fruta) e *grogue* (aguardente de cana sacarina) além de muitos outros licores. Compotas e geleias de frutas são outras das apreciadas iguarias, assim como o queijo de cabra.

2. Como se diz em crioulo de Cabo Verde? Quer tentar descobrir? Procure na coluna B como se diz (e escreve) o que está na coluna A.

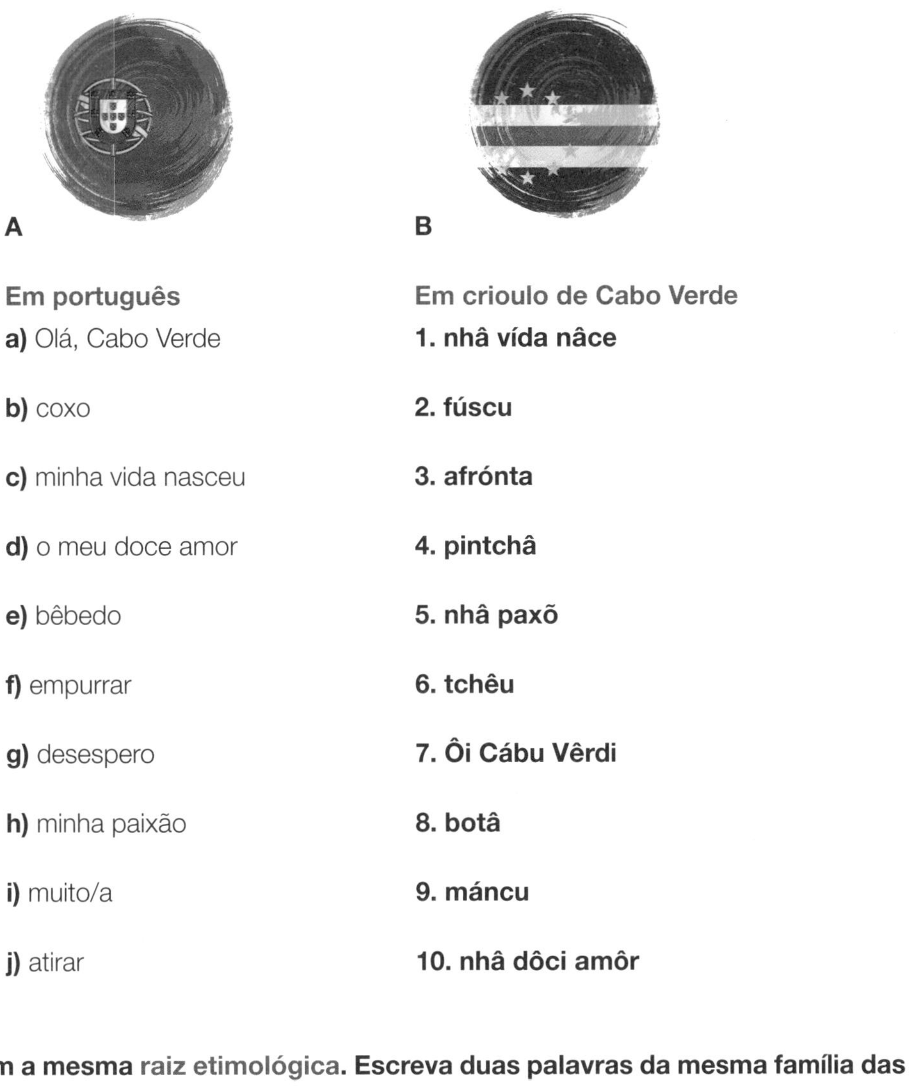

A	**B**
Em português	**Em crioulo de Cabo Verde**
a) Olá, Cabo Verde	**1. nhâ vída nâce**
b) coxo	**2. fúscu**
c) minha vida nasceu	**3. afrónta**
d) o meu doce amor	**4. pintchâ**
e) bêbedo	**5. nhâ paxõ**
f) empurrar	**6. tchêu**
g) desespero	**7. Ôi Cábu Vêrdi**
h) minha paixão	**8. botâ**
i) muito/a	**9. máncu**
j) atirar	**10. nhâ dôci amôr**

3. Palavras com a mesma raiz etimológica. Escreva duas palavras da mesma família das seguintes.

a) sal	______________ ______________	**f) amável**	______________ ______________
b) ilha	______________ ______________	**g) visita**	______________ ______________
c) dança	______________ ______________	**h) gentil**	______________ ______________
d) selva	______________ ______________	**i) origem**	______________ ______________
e) poesia	______________ ______________	**j) cultura**	______________ ______________

4. Escolha o verbo mais apropriado para o respetivo complemento.

a) apanhar	**1.** atenção
b) fazer	**2.** um desgosto
c) andar	**3.** tempo
d) prestar	**4.** o tempo
e) tirar	**5.** a uma conclusão
f) sofrer	**6.** o avião
g) passar	**7.** o mérito
h) chegar	**8.** dúvidas
i) reconhecer	**9.** prioridade
j) dar	**10.** às voltas

GRAMÁTICA

1. Conjugue os verbos no infinitivo pessoal simples ou composto.

a) Ao ________ (chegar) ao Mindelo, não se esqueçam de visitar o Fortim del Rei. Este forte, apesar de ________ (construir) no século XIX, está bem preservado e tem uma magnífica vista sobre a cidade e o Porto Grande.

b) A cachupa é a comida tradicional de Cabo Verde. Para a ________ (provar), temos de ser um bom garfo, pois nem todos gostamos de comidas tão fortes, ainda que deliciosas.

5. Construa uma frase em que utilize o verbo e o respetivo complemento do exercício anterior.

a) ____________________

____

b) ____________________

____

c) ____________________

____

d) ____________________

____

e) ____________________

____

f) ____________________

____

g) ____________________

____

h) ____________________

____

i) ____________________

____

j) ____________________

____

c) Confesso que gostava de ________ (visitar) todas as ilhas, mas infelizmente não tive oportunidade.

d) É bem possível eles nem ________ (beber) grogue, pois saíram antes dos anfitriões ________ (brindar).

e) A fim de ________ (conhecer) melhor este povo, temos de lá voltar.

2. Complete as frases com o conector mais adequado.

salvo se	**a não ser que**	**estou em crer que**
a meu ver	**assim que**	**isto é**

a) Estamos a pensar em ir passar uns dias à Ilha do Sal, ________ chegarem as férias.

b) Por mim, vou, ________ aconteça algum imprevisto. Mas penso que isso não vai acontecer.

c) Muitos cabo-verdianos têm emigrado ao longo dos anos, mas eu ________ eles nunca esquecem as origens.

d) Estou a pensar em ir aprender a dançar o funaná, ________ tu não me quiseres acompanhar.

e) ________,vocês têm todas as condições para estarem felizes: têm saúde, trabalho... que mais querem?

f) Gosto muito da gentileza do povo de Cabo Verde, gosto da comida, gosto da música, gosto da despreocupação com o tempo, ________, adoro Cabo Verde.

3. Complete o texto com a preposição mais adequada. Faça contração com o artigo quando necessário.

em **a** **de** **por** **para**

Artes plásticas

Só depois ______ a independência ______ Cabo Verde, ______ 1975, é que começaram ______ surgir alguns artistas plásticos, quer ______ o campo ______ a pintura quer ______ a escultura. Numa primeira fase, todos os trabalhos pictóricos evidenciavam a necessidade urgente ______ liberdade e ______ alegria ______ a independência. Era o fim ______ séculos marcados ______ a escravatura e o colonialismo.

Atualmente, Cabo Verde está aberto ______ o resto do mundo. Os artistas vão buscar influências ______ o estrangeiro e também é ______ lá que alguns vão estudar. Há uma certa globalização ______ as artes cabo-verdianas, ainda que se mantenham certos sinais ______ as raízes africanas, evidenciados sobretudo ______ a escolha ______ as cores.

Os artistas têm exibido os seus trabalhos ______ muitas exposições, não só ______ o seu próprio país, mas também ______ o estrangeiro. Portugal tem tido o privilégio ______ ser escolhido ______ muitas ______ estas exposições.

PARA COMENTAR

- Viver num arquipélago torna as pessoas nostálgicas.
- Todos aqueles que emigram não voltam mais às origens.
- Os ritmos de vida variam conforme os países. A capacidade de adaptação também.

Os **Sobas** e a tradição

Tradições fazem parte da cultura de cada continente. Umas mais preservadas do que outras, mas que chegam a atravessar a história de um país. São estas que nós encontramos quando nos debruçamos sobre África. Vamos referir-nos a uma figura tradicional em Angola: os **Sobas**, autoridades regionais e tradicionais neste país.

Existem dois tipos de Sobas: o **Soba Grande** (aquele que lidera os outros dentro da comunidade) e o **Soba** propriamente dito.

Desde há muitos anos que existem, em Angola, além das autoridades governamentais, as autoridades tradicionais, com o objetivo de gerir e moralizar as comunidades. Este é um tipo de hierarquia muito tradicional e, por isso, muitas vezes torna-se difícil definir com clareza os papéis e responsabilidades de cada um deles, na medida em que estão interligados pela cultura e contexto locais.

Mas quem é que tem poder para se tornar uma destas autoridades tradicionais? Como se chega a Soba? A resposta a estas perguntas, encontrámo-la num encontro com Aguinaldo Caholo. "Nem todos os cidadãos podem ser Soba, porque existe uma genealogia que se deve seguir, com rigor." Este nosso amigo angolano acrescentou: "O que se passa é que mesmo seguindo a genealogia, existem sobrinhos e outros membros da família que não mostram ter capacidade intelectual e cultural. Além disso, também não conservam os traços dos antepassados." Quisemos saber o procedimento em casos como este, e Caholo prosseguiu: "Nestes casos, o Conselho de Sobas escolhe um outro indivíduo, no seio da comunidade, que reúna os elementos necessários para a sua congregação. Após a escolha ter sido feita, organiza-se uma cerimónia tradicional para o empossamento do Soba escolhido".

Ficámos ainda a saber que a idade não é um fator impeditivo, basta ser

GLOSSÁRIO
ancião: aquele que tem uma idade avançada e merece respeito
congregação: reunião; assembleia
empossamento: tomar posse; iniciar funções
genealogia: linhagem; estirpe; ramificações de uma família
gerir: administrar; dirigir
inerente: relativo a
no seio de: ambiente; meio
preservar: conservar; manter
veredicto: resposta dada pelo juiz; decisão

oriundo de uma genealogia de Sobas e que tenha uma conduta aceitável aos olhos dos anciãos. Quando uma autoridade tradicional morre, é escolhido o cidadão que demonstre ter um comportamento irrepreensível na sociedade, a fim de que seja bem aceite e respeitado por todos. Estas autoridades são reconhecidas não só pela respetiva comunidade, mas também pelo Ministério da Administração do Território e pelo Ministério da Cultura. São autoridades dotadas de legalidade.

Como autoridade tradicional, tem a obrigação de se fazer respeitar perante a comunidade e respeitá-la, resolvendo os problemas inerentes ao seu bom funcionamento. Têm obrigações específicas, tais como desempenhar o papel de juíz e prevenir o surgimento de certos constrangimentos externos à comunidade, como a feitiçaria. Os Sobas informam as autoridades governamentais sobre os problemas que as comunidades enfrentam, investigam as suas causas e obtêm soluções. Resolvem localmente os diversos diferendos tradicionais, tomam decisões, organizam eventos especiais (no caso de morte, doença, assuntos ocultos) e estabelecem regras a serem aplicadas. Tratam localmente dos problemas sociais e redigem um relatório para apresentar ao Soba Grande que o irá analisar e, em colaboração com outros Sobas, dará o veredicto final. Mas no caso de haver descontentamento local, é o Soba quem representa o povo perante a Administração Municipal a fim de expor os problemas e os tentar solucionar. Se se tratar de casos de crime, a situação é entregue à Polícia Nacional.

Despedimo-nos do nosso interlocutor e viajámos até ao interior do país para tomarmos contacto com a realidade local. Foi, no mínimo, surpreendente. Fomos bem recebidos por gente amável e consciente do seu papel na comunidade, na sociedade.

COMPREENSÃO

Explique o sentido das frases de acordo com o texto.

1. "Umas (tradições) mais preservadas do que outras, mas que chegam a atravessar a história de um país."

2. "(...) não conservam os traços dos antepassados."

3. "São autoridades dotadas de legalidade."

4. "(...) prevenir o surgimento de certos constrangimentos externos à comunidade (...)"

5. "(...) gente (...) consciente do seu papel na comunidade, na sociedade."

VOCABULÁRIO

1. Complete o texto com as palavras dadas.

áreas **dança** **enorme** **valor**
cultural **etnias** **angolano** **criança**

Riqueza cultural

A riqueza cultural de Angola é _________ e manifesta-se em _________ diversas. As festas tradicionais, que são promovidas pelas _________ locais, têm um enorme _________ cultural. Associada a estas festas está a dança no dia a dia do _________, sendo produto de um contexto _________ apelativo para a interiorização de estruturas rítmicas desde cedo. Iniciando-se pelo estreito contacto da _________ com os movimentos da mãe (às costas da qual é transportada). Também os jovens têm uma ligação forte com o ritmo angolano, fortalecido através da participação em diferentes celebrações sociais (não esqueçamos que são eles que mais se envolvem), onde a _________ se revela determinante enquanto fator de integração e preservação da identidade e do sentimento comunitário.

Numa outra perspetiva, também o artesanato tem um papel muito relevante no âmbito cultural. Destacam-se as estatuetas em madeira, os instrumentos musicais, as máscaras para as danças rituais, os objetos de uso comum e ricamente ornamentados dada a variedade de materiais usados. A qualidade artística de Angola está igualmente patente nas pinturas a óleo e areia que se encontram expostas em museus, galerias de arte e feiras.

2. Expressões idiomáticas em Angola. Encontre na coluna B o significado das expressões da coluna A.

A	B
a) Bem cacimbado	**1.** Subornar; dar gorjeta
b) Boelar	**2.** Simular
c) Dar bilingue	**3.** Não reagir
d) Dar gasosa	**4.** Não há problema
e) Dar jajão	**5.** Não falha
f) Estar paiado	**6.** Mentir; enganar
g) Não há maca	**7.** Ir embora
h) Não maia	**8.** Com algum tempo livre
i) Tirar o pé	**9.** Ter dificuldade em alguma situação
j) Ver fumo	**10.** Estar metido em problemas/confusão

3. Construa uma frase usando cada uma das expressões idiomáticas do exercício anterior.

a) ____

____

b) ____

____

c) ____

____

d) ____

____

e) ____

____

f) ____

____

g) ____

____

h) ____

____

i) ____

____

j) ____

____

4. Abaixo, estão listadas algumas diferenças lexicais entre o português europeu e o português de Angola.

Português europeu		Português de Angola
a) abalar	→	**sumir**
b) adesivo	→	**penso rápido**
c) aldeia	→	**sanzala**
d) autocarro	→	**machimbombo**
e) Câmara Municipal	→	**Comissariado**
f) chávena	→	**xícara**
g) quinta	→	**fazenda**
h) rapariga	→	**moça**
i) travar	→	**desacelerar**
j) velho	→	**kota**

a) Escreva uma frase para cada uma das palavras no português de Angola.

Sumir: ____

____

Penso rápido: ____

____

Sanzala: ____

____

Machimbombo: ____

____

Comissariado: ____

____

Xícara: ____

____

Fazenda: ____

____

Moça: ____

____

Desacelerar: ____

____

Kota: ____

____

5. **Complete o quadro.**

Nome	Verbo	Adjetivo
	preservar	
	referir	
a moral		
a hierarquia		
		contextual
		legal
	congregar	
		social
	estabelecer	
a investigação		

GRAMÁTICA

1. Das duas possibilidades dadas, escolha a conjugação correta.

a) Caso o senhor não **pudesse / possa**, informe-me atempadamente.

b) Ele disse-me que **virasse / virou** à esquerda e depois **tivesse seguido / seguisse** em frente.

c) Disseram-me que ontem **havia / houve** um acidente na marginal.

d) Duvidámos que ela **tivesse feito / tenha feito** aquele relatório sozinha.

e) Se **fizer / fizesse** uma festa no próximo fim de semana, digo-te.

f) Para vocês **puderem / poderem** apanhar o comboio das 15h30, não se podem atrasar.

g) Informaram-me de que o banco **tinha sido assaltado / foi assaltado** minutos antes de eu chegar.

h) É melhor **trazerem / tragam** agasalhos, porque vai arrefecer à noite.

i) Se **ver / vir** o professor, entregue-lhe este dossiê, por favor.

j) Se tu **tenhas estado / tivesses estado** na festa, **terias encontrado / tenhas encontrado** os teus colegas.

k) No caso de ela **chegar / ter chegado** atrasada, diga-me.

l) Caso **vires / vejas** o programa, depois conta-me o que achaste.

m) Talvez o pai **perdoe / perdoa** ao José, por ele **ter chumbado / tivesse chumbado** no exame final.

n) Nem que tu me **digas / dissesses** isso todos os dias, eu não acredito.

o) Não acho que eles **precisarão / precisem** de fazer tantos exercícios.

2. Escolha o pronome indefinido mais apropriado: tudo / todo(s) / toda(s).

a) Ela costuma dizer ________ o que pensa e sem rodeios.

b) Não faças isso ________ de uma só vez. Amanhã também é dia!

c) Gostaria de convidar ________ os presentes neste encontro, para apresentarem alternativas ao assunto em discussão.

d) Normalmente, viajo ________ as semanas para casa da minha família lá no Norte.

e) Ele tem trabalhado bastante durante ________ a vida. É um homem de trabalho!

f) Porque é que tu queres saber sempre ________? És muito curiosa.

g) Já tens ________ aí? Então, se tens… podemos ir.

h) Estive acordado durante ________ a noite. Sofro de insónias.

3. Complete o texto com a preposição mais adequada. Faça contração com o artigo quando necessário.

a com de em

Os pratos mais famosos da gastronomia angolana

Um ______ os pratos mais famosos ______ a culinária angolana é o funje. Trata-se ______ um prato típico ______ país, semelhante ______ a polenta, feito ______ a base ______ mandioca ou milho. Pode ter várias combinações, como a quizaca, que mais não é do que folhas do pé da mandioca maceradas, que são temperadas e cozinhadas. Também pode ser servida ______ peixe ensopado ou peixe seco cozido.

Outro prato típico de Angola é a muamba, que é preparada ______ galinha, peixe ou carne juntamente ______ quiabos e óleo de palma. Este é um condimento que se utiliza muitas vezes ______ a preparação ______ os pratos angolanos.

PARA COMENTAR

- **O poder concedido às autoridades locais e tradicionais – tal como os Soba – é um meio eficaz para resolver conflitos de menor dimensão.**
- **Todas as tradições se devem perpetuar no tempo e passar de filhos a netos.**
- **Tradição não é sinónimo de cultura.**

Macau

Ponto de encontro do *Oriente* com o *Ocidente*

Macau é uma das mais perfeitas simbioses entre a cultura portuguesa e a chinesa. Um local onde se pode lanchar um pastel de nata com a mesma facilidade com que se visita um típico templo budista. Macau, local de contrastes, onde o tradicional se mistura com o mais moderno.

Ao percorrermos as ruas de Macau encontramos muitas ligações com Portugal. As placas com os nomes das ruas; alguns objetos urbanos, como os candeeiros; restaurantes; e até as pessoas com quem nos cruzamos e que falam português. Tudo isto nos faz esquecer a distância geográfica a que nos encontramos.

Um pouco mais à frente, sentimos que estamos num outro continente: já não é o asiático nem o europeu, mas o americano. Dado que uma das principais atividades económicas de Macau é o jogo (além do turismo), é uma das regiões do mundo com mais casinos. Daí que seja chamada de "Las Vegas do Oriente". Esta designação tem que ver não só com o ambiente de casino, mas também com a arquitetura dos mesmos. A verdade é que Macau atrai quase tantos turistas quanto Las Vegas.

Macau tem cerca de 597 498 habitantes. É uma das cidades com maior densidade populacional no mundo. Na medida em que tem uma área tão reduzida, a cidade tem crescido na vertical. Os prédios são altos, oferecendo vários apartamentos em cada andar.

A vida é agitada. Não há tempo a perder. Digamos que é uma "outra" cidade que não dorme. Nunca.

Por outro lado, é curioso observar que algumas pessoas conseguem fugir desta agitação citadina e procuram refúgio nos jardins. Procuram a calma, a tranquilidade, o encontro com eles próprios. Aqui pratica-se *tai-chi*. Longe do bulício.

Há tempo para apreciar a natureza, nem que seja numa flor ou num pássaro... Assim são os macaenses.

Macau e a Festa da Lua

Esta festa assinala o equinócio do outono. A cidade fica engalanada com lanternas multicoloridas e manufaturadas por artesãos sábios, de todos os tamanhos e feitios. São espalhadas por todo o lado. Há tendinhas que vendem artefactos próprios da época. Veem-se cestos de frutas, caixas de bolos lunares e outras iguarias. As pessoas correm de um lado para o outro, numa azáfama que faz lembrar o Ano Novo Lunar, outra das tradições macaenses.

A tradição da Festa da Lua está ligada a um antigo costume de cerimónias de oferendas à Lua. Os antigos chineses observavam que o movimento da Lua tinha uma relação estreita com as mudanças das estações do ano e da produção agrícola. Assim, para expressar agradecimento à Lua e celebrar a colheita, eles faziam uma oferenda à Lua em dias de outono.

A lua cheia, que se quer ver nesta noite, traz a magia das lendas e mistérios que se recordam com emoção.

Macau e os bolos lunares

Estes bolos, que podem ser de fabrico caseiro ou industrial, têm um formato redondo (ou quadrado) e, na cobertura, têm uma mensagem inscrita. No interior têm gema de ovo (o ovo, devido à sua forma, simboliza a Lua).

GLOSSÁRIO

azáfama: atividade intensa; muita pressa

bulício: grande movimento de pessoas; burburinho

engalanada: ornamentada; enfeitada

iguaria: comida requintada e saborosa

simbiose: união; vida em comum

Macau e os crisântemos

Enquanto em alguns países o crisântemo é uma flor ligada ao culto da morte, em Macau simboliza saúde, prosperidade, felicidade e longevidade. Oferecer um ramo de crisântemos é de bom-tom e elegância. Com as pétalas faz-se uma infusão que se bebe para acompanhar o bolo lunar.

A festa de ano novo

Esta festa também traz muitos rituais que têm perdurado ao longo dos anos. Alguns deles bem curiosos como, por exemplo: arrumar a casa. Também a tradição de oferecer ***lai si*** vermelhos (envelopes dentro dos quais se coloca dinheiro) é muito apreciada.

Mas em Macau também se tem a tradição de entrar no ano novo com o pé direito.

A cor vermelha, que se espalha por todo o lado, simboliza o desejo de fortuna e sorte para o novo ano.

Embora com todas estas tradições orientais, a ligação com o Ocidente está patente, entre outras coisas, na língua: **fala-se português**. Ainda que uma outra língua também seja falada: o **patoá** (ou crioulo macaense, como alguns lhe chamam). Trata-se de uma língua crioula de base portuguesa formada em Macau a partir do século XVI e influenciada pelo chinês, malaio e cingalês. Resta acrescentar que o patoá, atualmente, é falado maioritariamente por pessoas de idade avançada.

Assim nos ligamos ao Oriente...

COMPREENSÃO

Explique o sentido das frases de acordo com o texto.

1. "Na medida em que tem uma área tão reduzida, a cidade tem crescido na vertical."

____

____

____

2. "Oferecer um ramo de crisântemos é de bom-tom e elegância."

____

____

____

3. "Assim nos ligamos ao Oriente..."

____

____

____

VOCABULÁRIO

1. Provérbios em patoá. Quer tentar descobrir?
Procure na coluna B como se diz (e escreve) o que está na coluna A.

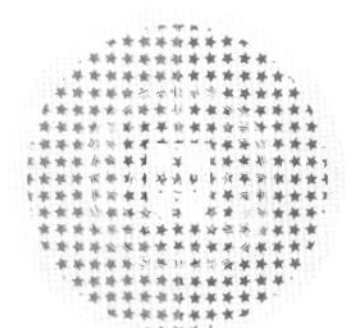

A

Em português

a) **Cão que ladra não morde.**

b) **Filho és, pai serás; assim como fizeres assim acharás.**

c) **Quem dá aos pobres empresta a Deus.**

d) **Longe da vista, longe do coração.**

e) **Ladrão que rouba a ladrão tem cem anos de perdão.**

f) **A ociosidade é a mãe de todos os vícios.**

g) **Chega-te aos bons, serás um deles; chega-te aos maus, serás pior do que eles.**

B

Em patoá

1. Hoze filo, manhã pai; assi fazê, assi lô achá.
2. Vida fêde cria vicio.
3. Ladrám rubá di ladrám, perdám sã nádi tardá.
4. Chapá co bom, fiâa bom; chapá co mau, lô sai más mau qui mau.
5. Cachôro qui gosta ladrá sã cachôro qui nádi mordê.
6. Lôngi di ôlo, fora di coraçam.
7. Dá pá pobre, emprestá pá Dios.

2. Analogias. Há uma relação lógica entre a primeira e a segunda palavras.
Descubra as relações lógicas em falta.

a) nascer	nascimento	**g) morrer**	____________
b) homem	pés	**h) animal**	____________
c) pressa	apressado	**i) vagar**	____________
d) defesa	defensivo	**j) ataque**	____________
e) automóvel	automobilista	**k) bicicleta**	____________
f) espirrar	espirro	**l) tossir**	____________

3. Coloque os acentos respetivos nas palavras que devem ser acentuadas graficamente.

a) util	hotel	refem	gas
b) sofa	movel	apoio	ali
c) piano	figado	ceramica	la
d) falamos	cantico	bau	saude
e) rapaz	distante	molho	sorte
f) ananas	distancia	subtil	centimo

4. Interjeições. Qual a interjeição da coluna B mais adequada para expressar as sensações da coluna A.

A	B
a) Alegria	**1.** Caramba!
b) Dor	**2.** Quem me dera!
c) Surpresa	**3.** Força!
d) Medo	**4.** Viva!
e) Estímulo	**5.** Chiu!
f) Desejo	**6.** Ai!
g) Silêncio	**7.** Ufa!
h) Alívio	**8.** Credo!

a) Construa uma frase usando cada uma das interjeições do exercício anterior.

Caramba! ____________________

Quem me dera! ____________________

Força! ____________________

Viva! ____________________

Chiu! ____________________

Ai! ____________________

Ufa! ____________________

Credo! ____________________

4. A Boa Escrita.

a) Escreve-se com **e** ou **i**?

___clipse   ef___ciência   v___zinho   r___preender   in___gualável   cand___eiro

âns___a   ad___antar   ___difício   mal___ável   agon___a   crân___o

b) Escreve-se com **o** ou **u**?

s___luço   p___lir   ad___ecer   c___rtir   c___biça   burb___rinho

ch___va   ch___ver   ac___mular   c___agir   ca___s   b___letim

GRAMÁTICA

1. Complete o quadro.

Dantes…	É necessário…	Nos últimos dias…	Oxalá…	Esperei que…	Assim que…
	leres		leias		
estudavam		têm estudado			estudarem
		tem ido		tivesse ido	
	trazeres		tragas		
punham					puserem
	subirmos			tivéssemos subido	
		tens ouvido			

2. Complete as frases com os verbos no modo indicativo ou no modo conjuntivo.

a) trazer
1. A Paula perguntou-me se eu lhe __________ algum presente de Macau.
2. Se eu lho __________, já lho tinha dado.

b) fazer
1. Quando __________ anos, vou convidar todos os amigos para uma festa.
2. Quando __________ anos, convido sempre os amigos para uma festa.

c) dizer
1. __________ o que __________, eu não acredito numa única palavra vossa!
2. Lamentei que tu não me __________ o que se passou no sábado. Mas agora já não faz sentido falar sobre isso.

d) ir
1. Dantes __________ a pé para o trabalho. Agora, já não vou.
2. Espero que ele já __________ para a universidade, quando eu chegar.

e) ter
1. Não acho que ela __________ razão.
2. Acho que ela não __________ razão.

PARA COMENTAR

- **Lendas são lendas. Não têm qualquer valor.**
- **A lua cheia está associada a mitos nos quais não queremos acreditar. Superstição? Talvez!**
- **Na passagem do "ano velho" para o "ano novo", quais são as tradições no seu país?**

3. Complete o texto com a preposição mais adequada. Faça contração com o artigo quando necessário.

até a para por em de durante

Lenda da deusa A-Má

Há muitos, muitos anos, uma jovem, oriunda do Fujian, resolveu embarcar como passageira ______ um junco, a fim de visitar alguns ______ os seus parentes que viviam nas costas do Guangdong. Como não tinha dinheiro, corria ______ barco ______ barco pedindo que a levassem gratuitamente, oferecendo, ______ troca, as suas valiosas orações ______ toda a viagem. Mas ninguém estava disposto a deixá-la seguir viagem. A jovem já estava desanimada, mas depois ______ muito andar lá conseguiu que um pobre barqueiro aceitasse levá-la ______ o seu destino. A meio ______ a viagem levantou-se um grande temporal. O céu encheu-se ______ nuvens negras e o vento, a pouco e pouco, foi aumentando ______ intensidade e a chuva começou ______ cair. Todos os barcos que tinham partido ______ aquele dia naufragaram, exceto o junco que transportava a jovem. Ela tomou conta ______ o leme e conduziu a embarcação ______ ao porto que se conhece hoje ______ o nome de Macau. Ao chegarem a terra, desembarcou e dirigiu-se ______ o cimo ______ uma colina ______ rezar, subiu a colina e desapareceu ______ entre as nuvens. O patrão do junco e os outros passageiros queriam agradecer-lhe, mas a jovem já tinha desaparecido. Nunca mais ninguém a viu, mas reapareceu como deusa ______ o lugar onde os pescadores levantaram um pequeno templo ______ sua memória: o templo de A-Má, deusa dos pescadores.

Conta-se que o nome "Macau" tem origem ______ esta lenda. Diz-se que quando os portugueses aqui chegaram perguntaram o nome ______ esta região, os pescadores terão respondido: A-Ma Gau (porto ou baía de A-Má).

Chave dos exercícios

Aceite o desafio • página 10

VOCABULÁRIO

1.

Hortas citadinas I

necessidade / terra / alimentos / sobrevivência / urbano / vontade / prateleiras / profundas / evasão / retorno / direto

Hortas citadinas II

benefícios / urbano / papel / economia / lixo / recurso / via / abandono / anos / geridos / contributo

2.

motivar / odorífero / prémio / fração / recolher / sustentar / prover / tranquilidade

3.

a)

Homófonas	Homógrafas	Homónimas	Parónimas
cinto/sinto cozer/coser nós/noz ouve/houve crer/querer cela/sela	gelo/gelo molho/molho dúvida/duvida governo/ governo vício/vicio	manga/ manga fecho/fecho canto/canto nada/nada rio/rio	despensa/ dispensa cumprimento/ comprimento perfeito/prefeito tráfego/tráfico

4.

a) 5; **b)** 8; **c)** 1; **d)** 2; **e)** 7; **f)** 3; **g)** 4; **h)** 6.

GRAMÁTICA

1.

a) (...) lhe vá faltando tempo (...)

b) (...) a ocupação de tempos livres, o alívio do *stress* e a prática de agricultura de autossubsistência pareciam ser (...) para aquele fenómeno.

c) (...), em Portugal, esta atividade tenha começado a ser (...)

d) (...) as hortas de subsistência terem como objetivo (...)

e) (...) atividades agrícolas foram disponibilizados pelas Câmaras Municipais.

2.

a) (...) plantá-la (...)

b) (...) experimentaram-nas (...)

c) Oferecemo-las (...)

d) (...) que também os ocupariam (...)

e) (...) disponibilizam-nos (...)

f) (...) a preencher.

g) (...) nunca o defenderiam (...)

h) Comê-los-emos sempre.

3.

a) senão

b) com tudo

c) portanto

d) contudo

e) por tanto

f) senão

g) com tudo

h) portanto

i) Por tanto

j) Decerto

k) Se não

l) decerto

m) de certo

n) Se não

o) contudo

p) de certo

Futebol • página 22

VOCABULÁRIO

1.

a) 7; **b)** 3; **c)** 9; **d)** 1; **e)** 10; **f)** 4; **g)** 8; **h)** 5; **i)** 2; **j)** 6.

2.

a) boca

b) mão

c) garganta

d) pé

e) cabeça

f) pé

g) cabeça

h) bocas

3.

a) 5; **b)** 8; **c)** 1; **d)** 6; **e)** 2; **f)** 3; **g)** 4; **h)** 7.

5.

a) desorganizado

b) permitido

c) suavidade

d) desinteresse

e) desapoio

f) inato

g) certeza

h) impróprio

GRAMÁTICA

1.

a) supunham

b) se dispusessem

c) comporem

d) propôs

e) reponha

f) opusesse

g) interponha

h) pressupõe

2.
a) (...) as mulheres de hoje também assistam (...)
b) (...) remeta o futebol (...)
c) (...) atendendo às estatísticas (...) que tinham sido elaboradas, confirmava-se que (...) considerava que o futebol era (...)
d) (...) haja fenómenos que extravasem (...) e transponham (...)
e) (...) o futebol mova multidões qualquer que seja a nacionalidade, a faixa etária ou o sexo (...)

3.
a) Para
b) para
c) pela / para
d) por
e) por
f) para
g) por / por
h) para / para

Ícones da cidade • página 34

VOCABULÁRIO

1.
vida / português / papel / transporte / habitante / distâncias / desenvolvimento / nova / esforço / cidade / ruído / ascensor

2.
aldeia / contemporâneo / escalar / transporte / cidade / virar

3.

Nome	Verbo	Adjetivo
a referência		referido
o crescimento	crescer	
a facilidade	facilitar	
a inauguração		inaugurado
	transportar	transportado
	concentrar	concentrado
a composição		composto
	habitar	habitado
a calma	acalmar	
a alegria	alegrar	

4.
a) (...) Tudo lhes tem sido dado de mão beijada.
b) (...) está disposto a abrir mão de uma oferta (...)
c) (...) sabe que a mãe está em boas mãos. (...)
d) Eu ponho as mãos no fogo pelo João. (...)
e) (...) entregou o relatório em mão.
f) (...) ela deu a mão à palmatória.
g) (...) comprou um carro em segunda mão.
h) (...) a minha colega teve de me dar uma mão.

GRAMÁTICA

1.
a) (...) quando se mudaram para aquela casa, não conheciam nenhum vizinho, mas logo no primeiro fim de semana o casal que vivia no andar de baixo os tinha convidado para tomarem café e provarem uns bolinhos que tinham trazido da terra.
b) (...) havia três anos que moravam naquela vila e estavam muito felizes pelo ambiente calmo que ali se vivia. Estavam longe do rebuliço da cidade.
c) (...) quase toda a vizinhança do seu tempo já tinha partido e isso era muito triste, mas tinha de saber levar a vida em frente. Como vivia sozinha, entretinha-se a ver televisão, a fazer palavras cruzadas e também saía para fazer as (suas) compras.
d) (...) não conhecia a maior parte dos novos vizinhos, mas havia gente de vários sítios. Na casa ao lado dela viviam uns brasileiros muito alegres e simpáticos. Cumprimentavam-na sempre quando saíam para o trabalho e perguntavam-lhe se precisava de alguma coisa.
e) (...) também gostava de dar os seus passeios pela cidade e que, às vezes, apanhava o elétrico até à Baixa e depois dava a sua voltinha. Gostava de apanhar o ascensor do Lavra e caminhar até ao Campo de Santana porque tinha uma amiga que vivia ali perto.

2.

Dantes...	Ao...	Embora...	Se...
havia	haver		houver
subíamos		subamos	subirmos
	ir	vá	fosse
viam	verem	vejam	
vinham			vierem
	termos	tenhamos	
punha	pôr	ponha	puser

Quando...	Lamentei que...	Espero que...
houver	tivesse havido	
	tivéssemos subido	tenhamos subido
	tivesse ido	tenha ido
virem		tenham visto
vierem	tivessem vindo	tenham vindo
tivermos	tivéssemos tido	tenhamos tido
puser		

3.
em / da / da / para / da / de / de / sobre / a / numa / de / de / nos / da / aos / pela

Arte urbana • página 44

VOCABULÁRIO

1.
favela / população / comunidade / demolição / projeto / reais / moradores / expropriação / habitantes

2.
chance: oportunidade
croquis: esboço
gaffe: deslize
nuance: cambiante
première: estreia
matinée: sessão da tarde
scanner: digitalizador

jeans: calças de ganga
vitrine: montra
groggy: atordoado

4.
a) irresponsável
b) ilegal
c) desfazer
d) desabitado
e) infeliz
f) desarmonia
g) imperdoável
h) incoerente
i) imprevisto
j) irreal

5.
a) coacção: coação
b) tractor: trator
c) acção / transacção: ação / transação
d) eléctrico: elétrico
e) óptimo / decepcionado: ótimo / dececionado
f) dêem: deem
g) cafézinho: cafezinho
j) cor-de-laranja: cor de laranja

GRAMÁTICA
1.
a) (...) este tipo de arte sirva para que os autores possam expressar a sua opinião sobre o que os rodeia (...)
b) (...) era também através daquela expressão artística que divulgavam mensagens sobre o que sentiam (...)
c) (...) era uma pintura bonita, que passava por ali todos os fins de semana e nunca se cansava de a admirar. Considerou que havia gente com muito talento. Não havia dúvida.
d) (...) fotografou Vicente Martins nos anos trinta.
e) (...) a obra ter cerca de 20 metros de altura e poder ser vista de longe por quem passa pela principal avenida da cidade (...)

2.
a) Apesar de
b) com o intuito de
c) Talvez
d) para que
e) dado que
f) ou seja
g) com efeito
h) Além disso

3.
a) (...) passado para a nova (...)
b) (...) passei a (...)
c) (...) passou-se nos (...)
d) (...) passa por (...)
e) (...) passou de (...)
f) (...) não consegue passar de (...) a (...)

Ser supersticioso dá azar...? • página 54

VOCABULÁRIO
1.
sabe / tradições / cultural / chaves / gato / aranha / sorte / quando / orelha / dinheiro / enfeitar / porta / decorativo / comichão / mão / dinheiro / pé / acreditam

2.
a) memorizar / memorial
b) antigamente / antiquado
c) sortudo / sorteado
d) azarento / azarado
e) ciência / científico
f) simbólico / simbolizar
g) racionalizar / razoável
h) morrer / morto
i) crime / criminal
j) anulação / anulante
k) viver / vivência
l) luxuriante / luxuoso

3.
g) sortudo
h) morrer
i) errar
j) enorme
k) posterior
l) andante

4.
a) 3; **b)** 6; **c)** 1; **d)** 2; **e)** 7; **f)** 8; **g)** 4; **h)** 5.

5.
a) desagradável
b) impróprio
c) ilimitado
d) imprudente
e) imobilizado
f) irresponsável
g) desabitado
h) irrepreensível
i) insatisfeito
j) incapaz

GRAMÁTICA
1.
a) (...) dizem que a superstição deve ajudar as pessoas para que aprendam a lidar consigo e com o mundo.
b) (...) haja superstições que são resquícios de cultos ou rituais que já desapareceram, (...)
c) (...) aquela crença tinha atravessado os tempos e, séculos mais tarde, os seguidores de Jesus Cristo tinham usurpado a superstição, interpretando-a à luz da morte de Cristo.
d) (...) foi introduzida nesta superstição pelos romanos no século I d. C.
e) (...) haja quem acredite que o gato preto traz azar ou boa sorte, (...)
f) (...) acreditam que podem anular o efeito do azar caso assim procedam.
g) (...) um destes guarda-chuvas ser aberto numa casa pequena, pode ferir gravemente uma pessoa.
h) (...) a saúde das pessoas mudasse em ciclos de sete anos.

2.
a) 5; **b)** 8; **c)** 10; **d)** 1; **e)** 2; **f)** 3; **g)** 4; **h)** 6; **i)** 7; **j)** 9.

3.
de / sem / na / na / nesta / para / num / para / com / para / das / de / nestas / na

Velhos são os trapos • página 64

VOCABULÁRIO

1.
a) 5; **b)** 6; **c)** 1; **d)** 2; **e)** 8; **f)** 7; **g)** 4; **h)** 3.

2.
a) não gostam de estar sem atividade
b) ajudamo-nos reciprocamente
c) muita vontade de aprender
d) fazer o que mais deseja
e) idosos
f) aos que têm mais dificuldades económicas
g) são independentes
h) deixar de estar ativos

3.
a) 5; **b)** 1; **c)** 6; **d)** 3; **e)** 9; **f)** 2; **g)** 8; **h)** 4; **i)** 7; **j)** 10.

4.
a) tecer
b) entabular
c) assumir
d) acalentar
e) estabelecer
f) abrir

5.
a) bagagem / jejum / coragem / elogio / algibeira / jeitoso
b) excelente / chávena / exagero / bruxa / mochila / queixa
c) erupção / acentuar / pêssego / grosseiro / impressionar / tendência

GRAMÁTICA

1.

Antigamente...	É melhor...	Ultimamente...
	apoiarmo-nos	temo-nos apoiado
fazias		tens feito
	viver	
viam	verem	
escolhiam		têm escolhido
	preferirem	têm preferido
frequentavas		tens frequentado

Tomara que...	Lamentei que...	Enquanto...
	nos tivéssemos apoiado	nos apoiarmos
faças		fizeres
viva	tivesse vivido	
vejam	tivessem visto	
	tivessem escolhido	escolherem
prefiram		preferirem
frequentes	tivesses frequentado	

2.
a) Escolheram o voluntariado para o qual vivem intensamente.
b) Foi dar formação a professores do ensino básico, o qual está a atravessar uma crise económica.
c) Os idosos inscreveram-se num Curso Livre da Universidade que terminou no mês passado.
d) Precisamos de gente dinâmica com quem gostamos de trabalhar.
e) Estes são os meus amigos com quem vou viajar na primavera.
f) Um grupo de vários idosos organizou um coro no qual cantam todos os sábados.
g) Maria Alzira tem uma amiga de infância com quem sai todas as tardes.
h) Vai ser organizada uma viagem cultural na qual todos os idosos podem participar.

3.
a) Até já as planeámos ao Norte.
b) Maria Antónia fê-lo em regime pós-laboral.
c) Depois de se reformarem tê-las-ão com toda a certeza.
d) Quando voltam, mostram-lhas.
e) Perguntaram-nos se queríamos ir para o ginásio deles.
f) Escrever-lhe-ia se tivesse o *e-mail* dela. Mas não tenho.
g) Ela quere-as feitas ao fim de semana.
h) Enviar-lhas-emos.

A sesta • página 74

VOCABULÁRIO

1.
porta / boas-vindas / presença / associação / acreditam / mediterrânica / biológicos / reputação / ignorância / ócio / memória / cardíaco / decisões / corpo / sesta

2.

Nome	Verbo	Adjetivo
	originar	original
a aceleração	acelerar	
a opção		opcional
	confundir	confuso
a preguiça	preguiçar	
	digerir	digestivo
a sensibilidade		sensível
a implementação		implementado
o repouso		repousante
a burocracia	burocratizar	

3.
a) 2; **b)** 7; **c)** 1; **d)** 4; **e)** 6; **f)** 8; **g)** 5; **h)** 3.

5.
a) afiar / afiado
b) diário / adiar
c) ativo / ativar
d) humanidade / humanizar
e) digerir / digestivo
f) merecedor / merecido
g) causador / causalidade
h) empresarial / empresário

GRAMÁTICA

1.
em / de / em / Para / em / no / na / pelas / sem / entre / no / de / Para / à / entre / entre / por / naqueles / em / de / para / para / com /

por / por / a / sem / à / de / ao / desse / sem / na / para / num / no / de / para / com / da / para / a

2.
a) (...) tem-se entretido (...)
b) (...) contém (...)
c) (...) tivessem obtido (...)
d) (...) se abstenham (..)
e) (...) tinham retido (...)
f) (...) se tinha entretido (...)
g) (...) me contive (...)
h) (...) deteve (...)

3.
a) no entanto (contudo, ainda assim)
b) Apesar de
c) embora
d) Contudo
e) Não obstante
f) ao passo que
g) ainda assim (no entanto, contudo)
h) nem que

Serão os portugueses felizes? • página 84

VOCABULÁRIO
1.
bem(-disposto) / colegas / felicidade / alegre / prazer / sonhos / coisas / imagem / imediato / dorme / relação / opinião / problemas / desafios / lotaria

2.
a) 7; **b)** 3; **c)** 10; **d)** 1; **e)** 4; **f)** 9; **g)** 2; **h)** 5; **i)** 8; **j)** 6.

4.
a) baixar
b) demonstrar
c) atingir
d) fazer
e) fazer
f) assistir
g) pôr

5.
a) projeto
b) Carnaval
c) sábado
d) inseto
e) veem
f) malcriado
g) pé de meia
h) recém-nascido
i) autorretrato
j) micro-ondas

GRAMÁTICA
1.
a) No ano passado, por mais que eu tentasse (...)
b) Não acho que ela chegue (...)
c) Para que vocês tenham boas notas (...)
d) Agradeço que os senhores digam (...)
e) Logo que ele saia (...)
f) Enquanto vocês estiverem em casa (...)
g) Era melhor que apanhasses (...)
h) Havia quem dissesse (...)

2.
com / de / a / no / do / para / do / por / com

3.
a) Di-lo já.
b) Eu tê-la-ia comprado (..)
c) Eles escrever-lhes-iam (...)
d) (...) trar-ma-ias (...)
e) Fi-lo (...)
f) (...) lho emprestará
g) Eles tê-lo-ão visto?
h) Ela quere-o resolvido (...)

Como é que ficámos tão chatas? • página 96

VOCABULÁRIO
1.
1. perdulário
2. celíaco
3. parvo
4. valente
5. sovina
6. bajulador
7. abstémio
8. barulho
9. chato
10. amável

2.
a) 4; **b)** 5; **c)** 1; **d)** 2; **e)** 8; **f)** 7; **g)** 3; **h)** 6.

3.
g) antipatia
h) nenhum
i) apagar
j) barulhento
k) aquecer
l) focinho

4.
a) 4; **b)** 7; **c)** 1; **d)** 5; **e)** 2; **f)** 3; **g)** 6.

GRAMÁTICA
1.
a) (...) estava bem e que quem chegasse tarde era um ovo podre.
b) (...) víssemos o que é que tínhamos no prato, (...)
c) (...) uma relação também seja feita de não ter paciência (...)
d) (...) o sonho de uma vida ser ir para um hotel de luxo (...)
e) (...) aprendamos (...), mas a idade só nos ensina (...)

2.
a) vires / vês
b) virem / vem
c) ia / fosse / fosse
d) têm sido / fosse
e) tivesse trazido / tivesse trazido

3.
a) 3; **b)** 8; **c)** 10; **d)** 1; **e)** 5; **f)** 7; **g)** 2; **h)** 4; **i)** 6; **j)** 9.

Férias passadas com os avós? • página 106

VOCABULÁRIO

1.

1. sogro
2. rotina
3. cuidar
4. primo
5. descansar
6. sogra
7. amar
8. avô
9. dantes

2.
a) 4; **b)** 7; **c)** 8; **d)** 1; **e)** 9; **f)** 2; **g)** 6; **h)** 10; **i)** 3; **j)** 5.

3.
a) 7; **b)** 1; **c)** 3; **d)** 5; **e)** 2; **f)** 8; **g)** 4; **h)** 6.

5.

Nome	Verbo	Adjetivo
	cruzar	cruzado
o mimo		mimado
a unanimidade		unânime
	ansiar	ansioso
o hábito	habituar	
	desafiar	desafiador
o rejuvenescimento	rejuvenescer	
	idealizar	ideal
a fuga		fugidio
a tendência		tendente

GRAMÁTICA

1.
a / em / dos / com / para / dos / da / Sem / dos / de / à / aos / com / deste / Por / a / de / com / de / até / ao / de / de / pelo / para / em / de / no / das

2.
a) (...) anteontem os avós tinham ido ao concerto com os netos adolescentes.
b) (...) não tiverem muito tempo disponível, nao podem/poderão fazer a viagem que tinham planeado.
c) (...) procedamos de modo sensato.
d) (...) teremos partido para a serra.
e) (...) tivéssemos tido mais tempo, teríamos conhecido melhor a cidade.

3.
a) 3; **b)** 6; **c)** 1; **d)** 2; **e)** 8; **f)** 4; **g)** 10; **h)** 7; **i)** 5; **j)** 9.

Capoeira • página 114

VOCABULÁRIO

1.
jogo / musical / tocada / círculo / aplicar / treino / batendo / berimbau / entre / berimbau / algum / inicia

2.
a) 5; **b)** 1; **c)** 8; **d)** 3; **e)** 2; **f)** 10; **g)** 4; **h)** 9; **i)** 6; **j)** 7.

5.
1. açougue
2. bonde
3. cafezinho
4. cardaço
5. trem
6. planejar
7. sanduiche
8. emolumento
9. ônibus
10. freio
11. pedestres

GRAMÁTICA

1.
a) (...) capoeira era uma expressão cultural brasileira que misturava arte marcial, desporto, música e cultura popular.
b) (...) chegaram ao Brasil (...)
c) (...) proibissem qualquer que fosse o tipo de arte marcial praticada, os escravos (...)
d) (...) viam a capoeira como uma prática violenta e subversiva.
e) (...) foi convidado por Getúlio Vargas para se apresentar (...).

2.
a) Enfim
b) Por quanto
c) demais
d) de mais
e) porque
f) em fim
g) porquanto
h) Por que

3.
a) 3; **b)** 7; **c)** 10; **d)** 1; **e)** 9; **f)** 8; **g)** 2; **h)** 6; **i)** 5; **j)** 4.

Brasil, o rei do ritmo e dos espetáculos • página 126

VOCABULÁRIO

1.
surgiu / origem / violão / sentimental / estilo / palavra / colonial / chorosa / apenas / reunia / salões / tarde

2.
a) 6; **b)** 3; **c)** 10; **d)** 1; **e)** 8; **f)** 2; **g)** 7; **h)** 5; **i)** 4; **j)** 9.

5.
a) marinheiro / marítimo
b) criar / criador
c) aristocrata / aristocratizar
d) entreter / entretido
e) improvisar / improviso
f) dimensionar / dimensional
g) sonhar / sonhador
h) desfilar / desfiladeiro
i) despojador / despojar
j) assistir /assistente

GRAMÁTICA

1.
a) Ele estava sendo observado pelos amigos.
b) Andei fazendo um inquérito sobre o Carnaval.
c) (...) a Neusa vinha arrastando os pés de cansaço.
d) Estavam todos dormindo quando eu entrei.
e) Eles iam cantando e dançando pela rua (...).
f) Ela continua escrevendo para novelas.
g) Quando você me vir dormindo (...).
h) Você está perguntando isso a quem?

2.
a) convenha
b) tinham intervindo
c) provindo
d) advém
e) tenha convindo
f) intervirmos
g) advier
h) provém

3.
no / das / de / pelos / com / por / pelo / em / às / aos / no / contra / pela / em / pelas / das / do / às / pela / pelas / no / com / de / no / nas / dos / a / numa

Espelho, espelho meu... • página 138

VOCABULÁRIO

1.
estilo / vitrina / vestuário / personagens / figurinos / peças / pegou / atores

3.
a) 3; **b)** 8; **c)** 1; **d)** 10; **e)** 2; **f)** 5; **g)** 4; **h)** 7; **i)** 6; **j)** 9.

5.
a) atrizes
b) órfãos
c) cristãos
d) anões
e) bagagens
f) banais
g) couves-flores
h) cidadãos
i) corrimãos (ou corrimões)
j) nuvens
k) cães
l) vírus
m) hotéis
n) olivais

GRAMÁTICA

1.
a) (...) o Brasil era (...), o que tinha causado (...).
b) (...) a verdade é que nem era preciso (...) uma empresa que financiasse (...).
c) (...) a Sociedade (...) tinha feito um levantamento e tinha mostrado que no Brasil se realizavam (...).
d) (...) o espelho pedia mais, queria corpos (...) nem que para isso se tivesse de (...).
e) (...) não sermos a imagem (...) do último filme que tínhamos visto e a não termos (...). Tínhamos de procurar (...). Cabia a cada um defini-los (...). Correr no calçadão (...) era uma boa opção qualquer que fosse a idade. Sorrir também dava bem-estar.

2.
a) porém
b) do mesmo modo
c) com o intuito de
d) por conseguinte
e) A meu ver
f) a fim de
g) logo
h) decerto

3.
a) de / para
b) a
c) com / de / por
d) a / de / de / para
e) a
f) com / para
g) a / de
h) a / por
i) naquela
j) a / desse

São Tomé e Príncipe... • página 150

VOCABULÁRIO

1.
refúgio / festa / contente / aceitavam / zangadas / aviso / educados / reunião / horas

4.

Nome	Verbo	Adjetivo
	embarcar	embarcado
	aglomerar	aglomerado
a condenação	condenar	
a contemplação		contemplativo
a ignorância		ignorante
o encanto	encantar	
	fotografar	fotográfico
	elevar	elevado
o exagero		exagerado
a sedução		sedutor

GRAMÁTICA

1.
a) (...) puxasse o barco e depois fazia perguntas.
b) (...) não me esquecesse de que aquilo era terra de Deus.
c) (...) tivesse sido (...) tinha tido o fidalgo D. João de Paiva.
d) (...) nem fizessem ideia do que tinham ali ao seu dispor (...).
e) (...) pensasse de forma diferente (...) se ouvisse (...).

2.
a) (...) sempre de me avisar (...)
b) (...) meter-se em assuntos (...)
c) (...) são favoráveis a mudanças (...)
d) (...) de avião (...) penso ir (...)

e) (...) por agradar (...)
f) (...) das afirmações (...) saiu batendo com a porta.
g) (...) para melhorar (...)
h) (...) simpatizo com (...)
i) (...) acolhendo-os nas suas casas.
j) (...) acessível para (...)

3.
a) 5; **b)** 8; **c)** 1; **d)** 2; **e)** 3; **f)** 4; **g)** 6; **h)** 7.

Sol Nascente ou... Loro Sae • página 160

VOCABULÁRIO
1.
métodos / identidade / exótica / estrangeiras / arte / integrar / indiana / encontradas / conhecermos / basta / através

2.
a) 5; **b)** 11; **c)** 10; **d)** 6; **e)** 3; **f)** 1; **g)** 4; **h)** 2; **i)** 8; **j)** 13; **k)** 14; **l)** 15; **m)** 16; **n)** 7; **o)** 9; **p)** 12.

3.
a) 7; **b)** 1; **c)** 9; **d)** 2; **e)** 6; **f)** 5; **g)** 4; **h)** 3; **i)** 10; **j)** 8.

5.
a) Antónia
b) jornalista
c) administradora
d) diretora
e) embaixadora/embaixatriz
f) aldeã
g) nora
h) cliente
i) europeia
j) formadora
k) sultana
l) anã
m) imperatriz
n) colega
o) cidadã
p) turista

6.
a) são-tomense
b) boliviano
c) egípcio
d) malaio
e) indonésio
f) neozelandês
g) tongolês
h) zimbabuano
i) belga
j) marroquino

GRAMÁTICA
1.
de / do / em / de / a / do / Para / com / aos / por / com / de / na / em / de / nas / da / do / por / em / do / de / entre / da / de / na / do / dos / de / nas / no / nos / pela / pelo / de / a / nas / por / aos / à / ao / à / da / sobre / do / às / por / com / em / nas / ao / sobre / à

2.
concluiu / falou-nos / viveu / surgiu / ter terminado / candidatei-me / apoia / querem / durou / tive / ser escolhida / reagiu / soube / tinha sido / fiquei / podemos / gosto / conformei-me / preocupei / sou / dei / Comecei / falei / tinham vindo /deram-me / chegou / fui / Fui / tinha sido / estavam / era / passávamos / foi / ensinaram-me / ajudaram-me / conhecer / diga-se / tinha / posso / foram / podia / Surgiu / fomos / falarmos / despertou / começou / ver / passava / tornou-se / Deixei / voltarei / for

3.
a) (...) que o desenvolveram.
b) Eles implementaram-nas.
c) (...) recebê-los-á nas próximas férias.
d) (...) já as tinha recebido (...).
e) (...) usam-na em situações (...).
f) Usá-lo-ia se fosse (...)
g) (...) vendem-nos nas ruas e mercados.
h) (...) tê-los-ei visitado.

Saudade e morabeza • página 174

VOCABULÁRIO
1.
enorme / artes / popular / tecelagem / tear / moeda / moda / antigas / argila / ilha / vasos / aguardente

2.
a) 7; **b)** 9; **c)** 1; **d)** 10; **e)** 2; **f)** 4; **g)** 3; **h)** 5; **i)** 6; **j)** 8.

3.
a) salina / salgado
b) ilhéu / ilhota
c) dançar / dançarino
d) selvagem / selvático
e) poeta / poético
f) amabilidade / amavelmente
g) visitante / visitar
h) gentilmente / gentileza
i) originário / originar
j) culto / aculturar

4.
a) 6; **b)** 3; **c)** 10; **d)** 1; **e)** 8; **f)** 2; **g)** 4; **h)** 5; **i)** 7; **j)** 9.

GRAMÁTICA
1.
a) chegarem / ter sido construído
b) provarmos
c) ter visitado
d) terem bebido / terem brindado
e) conhecermos

2.
a) assim que
b) a não ser que
c) estou em crer que
d) salvo se
e) A meu ver
f) isto é

3.
da / de / em / a / no / da / da / de / de / pela / de / pela / ao / ao / para / nas / das / na / das / em / no / no / de / para / destas

Os Sobas e a tradição • página 184

VOCABULÁRIO
1.
enorme / áreas / etnias / valor / angolano / cultural / criança / dança

2.
a) 8; **b)** 3; **c)** 6; **d)** 1; **e)** 2; **f)** 10; **g)** 4; **h)** 5; **i)** 7; **j)** 9.

5.

Nome	Verbo	Adjetivo
a preservação		preservado
a referência		referido
	moralizar	moral
	hierarquizar	hierárquico
o contexto	contextualizar	
a legalidade	legalizar	
a congregação		congregado
a sociedade	sociabilizar	
o estabelecimento		estabelecido
	investigar	investigado

GRAMÁTICA

1.

a) possa
b) virasse / seguisse
c) houve
d) tivesse feito
e) fizer
f) poderem
g) tinha sido assaltado
h) trazerem
i) vir
j) tivesses estado / terias encontrado
k) chegar
l) vejas
m) perdoe / ter chumbado
n) digas
o) precisem

2.

a) tudo
b) tudo
c) todos
d) todas
e) toda
f) tudo
g) tudo
h) toda

3.

dos / da / de / do / à / à / de / com / com / com / na / dos

Macau • página 196

VOCABULÁRIO

1.

a) 5; **b)** 1; **c)** 7; **d)** 6; **e)** 3; **f)** 2; **g)** 4.

2.

g) morte
h) patas
i) vagaroso
j) atacante
k) ciclista
l) tosse

3.

a) útil / refém / gás
b) sofá / móvel
c) fígado / cerâmica / lá
d) (falámos) / cântico / baú / saúde
f) ananás / distância / cêntimo

4.

a) 4; **b)** 6; **c)** 1; **d)** 8; **e)** 3; **f)** 2; **g)** 5; **h)** 7.

5.

a) eclipse / eficiência / vizinho / repreender / inigualável / candeeiro / ânsia / adiantar / edifício / maleável / agonia / crânio
b) soluço / polir / adoecer / curtir / cobiça / burburinho / chuva / chover / acumular / coagir / caos / boletim

GRAMÁTICA

1.

Dantes...	É necessário...	Nos últimos dias...
lias		tens lido
	estudarem	
ia	ir	
trazias		tens trazido
	porem	têm posto
subíamos		temos subido
ouvias	ouvires	

Oxalá...	Esperei que...	Assim que...
	tivesses lido	leres
estudem	tivessem estudado	
vá		for
	tivesses trazido	trouxeres
ponham	tivessem posto	
subamos		subirmos
ouças	tivesses ouvido	ouvires

2.

a) 1. tinha trazido; 2. tivesse trazido
b) 1. fizer; 2. faço
c) 1. Digam / disserem; 2. tivesses dito
d) 1. ia; 2. tenha ido
e) 1. tenha; 2. tem

3.

num / dos / de / em / em / durante / de / ao / da / de / de / a / naquele / do / até / pelo / ao / de / para / por / no / em / nesta / desta